OS CÓDIGOS DO BRANDING

OS CÓDIGOS DO BRANDING

JUNIOR NEVES

Camelot
EDITORA

Copyright © 2021
Direitos reservados e protegidos pela lei 9.610 de 19.2.1998.
Nenhuma parte deste livro pode ser reproduzida, arquivada em sistema de busca ou transmitida por qualquer meio, seja ele eletrônico, xérox, gravação ou outros, sem prévia autorização do detentor dos direitos, e não pode circular encadernada ou encapada de maneira distinta daquela em que foi publicada, ou sem que as mesmas condições sejam impostas aos compradores subsequentes.
1ª Edição 2021

Presidente: Paulo Roberto Houch
MTB 0083982/SP

Edição: Aline Ribeiro (contato@assessoarte.com.br)
Projeto Gráfico: Rubens Martim (rm.martim@gmail.com)
Imagens: Shutterstock
Vendas: Tel.: (11) 3393-7723 (vendas@editoraonline.com.br)

Impresso no Brasil.
Foi feito o depósito legal.

Dados Internacionais de Catalogação na Publicação (CIP)
(eDOC BRASIL, Belo Horizonte/MG)

N518c   Neves, Junior.
Os códigos do branding: aprenda a construir uma marca onde as pessoas façam de tudo para consumir os seus produtos / Junior Neves. – Barueri, SP: Camelot, 2021.
15,5 x 23 cm

ISBN 978-65-87817-34-7

1. Marca de produtos. 2. Branding (Marketing). I. Título.
CDD 658.827

Elaborado por Maurício Amormino Júnior – CRB6/2422

Direitos reservados à
IBC – Instituto Brasileiro de Cultura LTDA
CNPJ 04.207.648/0001-94
Avenida Juruá, 762 – Alphaville Industrial
CEP. 06455-010 – Barueri/SP
www.editoraonline.com.br

Sumário

Prefácio 9

Capítulo 1 13
Introdução 13
O que é branding? 14
Os três pilares fundamentais 14
Os dois tipos de branding 16
Branding pessoal 18
Branding para negócios 19
Prova social 20
Diferença de branding e marketing ... 20

Capítulo 2 23
Branding Pessoal 23
Por que fazer o branding pessoal? 24
Destino 25
Validação de marcas 27
Conexões 28
Autoralidade 30

Capítulo 3 33

Branding de Negócios 33
Storytelling 34
Os 3 V's do Branding 36
Networking 37
Emoções 38
Movimento 40

Capítulo 4 43
A Jornada do Herói 43
Minha História 44
A Jornada 47
Início da Jornada 48
Meio da Jornada 51
Final da Jornada 52

Capítulo 5 57
Criando uma marca forte 57
A Tríade do branding 58
Posicionamento 59
Execução 61
Resultado 61
Marca forte 62

Sumário

Capítulo 6..........**65**

Branding X Consciência 65

O que é nível de consciência.............66

Os três níveis de consciência.............66

Consciência 1 68

Consciência 2 69

Consciência 3 71

Capítulo 7..........**73**

Funil de Branding.............73

Introdução do funil.............74

Valor mais impacto.............77

Relacionamento.............79

Conversão.............81

Capítulo 8..........**85**

Gatilhos Mentais.............85

Autoridade.............86

Reciprocidade.............88

Prova social.............89

Urgência e antecipação.............90

Escassez.............91

Capítulo 9..........**93**

Antropologia Digital.............93

Conceito.............94

Primitivo 95

O Emocional.............96

Racional.............98

Capítulo 10..........**101**

Funil de Branding.............101

Funil tradicional de Marketing.........102

A Descoberta.............103

Interpretação.............105

Desejo.............107

Oportunidade.............108

Capítulo 11..........**111**

Branding para Lançamento.............111

Branding no lançamento.............112

As perguntas corretas.............112

Primeiro Bloco de Perguntas.............113

Segundo Bloco de Perguntas.............113

Terceiro Bloco de Perguntas.............114

Pré-Lançamento.............116

Lançamento.............118

Primeiro Bloco:.............118

Segundo Bloco:.............120

Terceiro Bloco:.............121

Pós-Lançamento.............122

Capítulo 12..........**125**

Branding para Social Media.............125

Branding para Social Media.............126

Como conquistar clientes
através de Branding.............126

Branding para o seu cliente.............128

O que não fazer.............130

Como escalar o seu negócio.............131

Capítulo 13..........**135**

Seja a mensagem que
deseja passar.............135

Existem três formas de querer:.........136

Você precisa ser um trem-bala.........138

Sobre o que você quer ser
lembrado?.............139

Redes sociais.............141

Youtube.............141

Facebook.............141

Instagram.............142

É a esposa.............142

Tik Tok.............142

Teste e descubra!.............144

Capítulo 14..........**151**

Bate-papo com o autor.............151

Prefácio

Junior Neves, uma mente brilhante!

Imagine uma pessoa que chega em sua vida apenas para transbordar coisas positivas. Essa mesma pessoa decide largar tudo o que já conquistou para acreditar em novos sonhos junto a você. Raro encontrar alguém assim pelo caminho? Pois eu encontrei, e o nome dele é Junior Neves.

Uma das mentes mais brilhantes que já conheci, Junior Neves é o meu sócio e um grande amigo. Este garoto abriu mão de morar em sua cidade natal, Santa Catarina, para ir a São Paulo atrás de um ideal. Deixou para trás a sua empresa até então e partiu em direção daquilo que fazia arder o coração dele.

Se foi uma decisão assertiva? Posso afirmar que foi muito mais do que isso. Eu e ele já construímos coisas grandiosas. Muito mais realizador do que conseguir transformar as nossas vidas, foi abençoar a trajetória de muitas outras pessoas. Aliás, esse é o nosso grande propósito.

O potencial deste garoto é singular. Tenho plena confiança no Junior Neves e em tudo o que ele faz. É uma das pessoas que quero que esteja sempre ao meu lado, e eu também quero estar ao lado dele.

Prefácio

Quando eu o conheci, possuía apenas 40 mil seguidores em minhas redes sociais. Atualmente, este número multiplicou-se em milhões! Com as estratégias de branding que ele criou, eu e todas as empresas do grupo evoluímos muito.

Na data que você lê este prefácio, em todos os nossos negócios, o faturamento já ultrapassou centenas de milhões de reais. E tudo isso em menos de três anos. Sim, do zero a centenas de milhões de reais. Acredite, Junior Neves tem grande parte neste resultado.

Por que ele foi uma peça decisiva neste processo? Primeiramente, pelo nosso propósito maior. E, claro, pelas estratégias de branding que ele construiu, as quais muitas são apresentadas neste livro para você.

Um solucionador nato, ele criou um Funil de Branding autoral, fazendo com que o potencial cliente não seja "esmagado" até consolidar a venda, mas sim que ele seja capaz de escalar o funil até a grande oportunidade.

O que faz arder o seu coração? Descubra e siga os seus ideais, colocando em prática tudo o que aprender nas próximas páginas. Transborde na sua vida e na de todos que estiverem ao seu redor. Bora tocar o terror na Terra!

Boa leitura!

Pablo Marçal

TMJADF

Capítulo 1

Introdução

Branding é construir o conceito de uma marca, a mensagem que ela transmite para a mente das pessoas. E não pense que o branding serve apenas para o mundo dos negócios, ele também pode transformar a sua vida pessoal! Como construir e atrair o que deseja? Você vai pirar neste conteúdo!

Vale lembrar que todo o conhecimento apresentado neste livro é autoral. Não é possível encontrar em nenhum outro lugar. Veio direto da fonte para minha cabeça e agora para você!

Bem-vindo ao branding!

O que é branding?

Ao pé da letra, branding significa "fazendo a marca", "construindo a marca". Contudo, utilizamos o branding de um modo diferente, temos uma outra visão. E eu vou revelar nas próximas páginas qual é o nosso conceito. Você vai se surpreender!

Desde já, saiba que a marca precisa causar algo. Branding é a gestão para que a marca instigue emoções nas pessoas. Faça este exercício: você tem uma marca no seu corpo? Todo mundo tem, pelo menos, uma pequena cicatriz. Olhe para esta marca agora no seu corpo! O que ela remete a você? Sabe quando ela aconteceu e por qual motivo?

Eu, por exemplo, tenho uma marca perto do meu quadril. Toda vez que eu passo a mão sobre ela, lembro-me imediatamente de muitos detalhes. Eu estava andando de bicicleta e me machuquei, levei cinco pontos! Machuquei também uma outra pessoa... Lembro de tudo, assim como as outras marcas que carrego em mim. Já a marca da minha perna, queimei no escapamento da moto. Nossa, lembro até a rua que eu estava naquele dia, quando fiz a queimadura. Uma sacola tinha ficado presa na roda da moto e, ao tentar tirá-la, queimei a minha perna.

E você, quais são as suas marcas e as lembranças que elas lhe causam?

Toda marca deve transmitir uma mensagem. Isso não cabe apenas para grandes e pequenas empresas, mas também para o branding pessoal. Por exemplo, quando as pessoas se lembrarem do Junior Neves, quero que elas pensem: "Puxa, esse cara sabe muito sobre estratégia e branding". É essa imagem que estou construindo para mim, é essa atmosfera de branding da minha marca que desejo transmitir e consolidar.

Os três pilares fundamentais

Dentro da estratégia de marketing digital, o branding é um dos pilares mais importantes. Conheça os três pilares fundamentais:

O profissional do branding é responsável por fazer três ações:

• **Posicionamento:**
Qual é a imagem que eu quero transmitir com a minha marca? Quando alguém pensar na marca, o que eu quero que elas pensem ou lembrem? Qual o sentimento ou a lembrança que elas devem ter?

• **Estratégia da marca:**
Traçar o que pode ser feito para a marca transmitir e assegurar essas mensagens para as pessoas.

• **Gestão da marca:**
Acompanhar e fazer valer as estratégias traçadas.

> **AGORA É COM VOCÊ!**
> **NÃO FAÇA ESSAS TAREFAS, SE NÃO QUISER PROGREDIR!**
> Escreva o nome das 5 maiores marcas que você lembra
> e quais são as coisas que você lembra ao pensar nelas.

Os dois tipos de branding

Independentemente do que você faça, o branding vai estar colado na sua vida! O branding é como um "funcionário fantasma" que deve ser contratado para falar sobre você. Ele pode estar tanto presente ao seu lado como em ambientes que você não está! Olha que interessante, não?

Quando esse funcionário fantasma estiver ao seu lado, você vai transmitir a sua mensagem. Assim, quando alguém olhar para você, enxergará uma marca, um posicionamento, algo que você deseja falar. E quando você não estiver no ambiente, este funcionário fantasma também vai continuar trabalhando. Atenção: mas ele pode falar bem ou mal de você! Tudo vai depender de como você cuida da gestão, do posicionamento e da estratégia pare ele atuar!

Então, faça o exercício! O que esse meu funcionário fantasma está falando sobre mim para as pessoas, quando eu não estiver por perto?! Ah, e esse funcionário fantasma trabalha de graça! Você não precisa pagar por ele, você só precisa agregar coisas a ele.

Ao longo deste livro, você vai entender como "educar" esse funcionário. Porém, desde já, é importante saber que ele pode atuar de duas maneiras:

• **Branding impactante** (construir a mensagem com impacto). Ou seja, uma grande e única ação que é tão poderosa que vai ser para sempre lembrada. Pense em ações que irão traduzir em uma mensagem impactante e instantânea nas pessoas.

• **Branding de repetição** (construir a mensagem por repetição). Faça ações constantes para sempre ser lembrado por elas. Essa estratégia de branding é a mais usada por grandes empresas. O Pablo Marçal também é um bom exemplo de branding de repetição. Ele sempre está repetindo várias coisas sobre família e o conceito: "Vai cuidar da sua vida". Ele mexe com o seu coração, com as suas emoções, para ver se você se mexe, tire a sua bunda do sofá e construa um grande legado neste mundo.

Pense neste exemplo: um meteoro pode cair sobre a Terra e perfurá-la (branding de impacto) ou, com uma pá, você pode ir cavando, cavando, cavando a Terra até perfurá-la (branding de repetição). Tente lembrar de algumas marcas importantes e distinguir se lembra delas por algum fato marcante ou por elas estarem sempre presentes.

AGORA É COM VOCÊ!
NÃO FAÇA ESSAS TAREFAS, SE NÃO QUISER PROGREDIR!
Escreva 3 coisas que foram impactantes e marcaram a sua vida e 3 coisas que, por repetição, também marcaram a sua história!

| |
| |
| |
| |
| |
| |

Branding pessoal

Lembra do funcionário fantasma? Esse funcionário fala como se fosse um eco para as pessoas. Ele revela mensagens como "trabalhador", "dedicado", "preguiçoso", "pais excelentes"... O que ele está falando sobre você neste momento? Não importa o que esteja acontecendo em sua vida, em todos os instantes, você está construindo o seu branding pessoal. Você está dando informações para as pessoas que estão ao seu redor captarem mensagens sobre você. Então, você sempre deve cuidar da informação que está dando sobre você para esse seu funcionário!

Faça um exercício agora! Pergunte para o seu filho (ou alguém próximo) qual é a primeira coisa que ele pensa quando vem a sua imagem na cabeça dele? Avalie a resposta! Pense no seu passado ou no seu presente. O que você fez lá trás que construiu a mensagem que você passa hoje? Você quer que o discurso mude lá na frente ou deseja que o discurso continue o mesmo? Você quer que os "ecos" que falam sobre você hoje sejam os mesmos ecos que quer ter no futuro? Se você deseja mudar, você precisa começar a construir um branding novo!

A sua marca de hoje foi construída no passado, mas a sua marca do futuro pode ser iniciada hoje!

Compare as informações que apurou para o triângulo da página anterior. Quanto mais diferentes estiverem as informações da esquerda e da direita, mais longe estará do seu propósito, da ponta de cima do triângulo. Qual é o grande objetivo? Pegar a ponta da direita e a ponta da esquerda do triângulo e fazer elas se encontrarem. E para isso acontecer, você vai precisar fazer o branding! Ou seja, construir informações novas e entregá-las para o seu funcionário fantasma!

AGORA É COM VOCÊ!
NÃO FAÇA ESSAS TAREFAS, SE NÃO QUISER PROGREDIR!

Peça para 3 pessoas próximas lhe definir. Depois, analise se o que elas definiram está de acordo com aquilo que você pensa sobre você.

Sendo assim, o branding não é apenas para usar na sua profissão, algo para ganhar dinheiro. É também para você utilizar na sua vida!

Branding para negócios

Independentemente da profissão que você tiver, o branding será necessário. Por isso, cuidado ao não dar valor para esse conceito!

• Branding para empresas (marcas CNPJ):

Qual a linguagem da Internet? São pessoas falando com pessoas. Sendo assim, sem precisar o tamanho da empresa (afinal, isso serve para todas), se ela quiser se comunicar com as pessoas, é necessário colocar um representante ou, até mesmo, "se vestir de seres humanos".

• Branding para pessoas (empreendedores):

Você precisa ter o próprio branding para estudar bem as mensagens que deseja transmitir e alcançar as metas do seu negócio. As mensagens que você transmite lhe permite criar conexões, parcerias e, claro, vendas!

Prova social

Uma das grandes estratégias para a consolidação do branding é a prova social. O que isso significa? Depoimentos de pessoas que já compraram produtos ou serviços de uma determinada empresa. O ideal é que esses depoimentos sejam em vídeos e com relatos de forma natural e espontânea. Essas mensagens devem ser usadas nas redes sociais e em outros meios de comunicação dessa empresa de forma implícita. Ou seja, os "ecos" serão criados por meio de outras pessoas para levar credibilidade para a marca. O cliente vai pensar: "Se foi bom para essas pessoas, poderá ser para mim também".

AGORA É COM VOCÊ!
NÃO FAÇA ESSAS TAREFAS, SE NÃO QUISER PROGREDIR!
Escreva 3 características que você quer que seu negócio seja lembrado e quais as ações que você vai fazer para isso acontecer?

| |
| |
| |
| |
| |
| |

Diferença de branding e marketing

Marketing é o "mercado", o produto que eu quero vender. Já o branding é a história da marca que irá vender o produto. Seria o que está por trás da venda. O marketing e o branding precisam caminhar juntos sempre.

O marketing é a venda. E dificilmente você irá consolidar boas vendas se não tiver boas mensagens ecoando sobre a sua marca. No marketing, as características dos produtos são apresentadas. É o local onde podemos fazer a oferta do produto, o preço, onde é vendido... Já o branding é criação do conceito da marca desse mesmo produto.

Por exemplo, pense em um pedido de namoro! O homem pergunta simplesmente: "Quer namorar comigo? Eu sou trabalhador, pretendo ter uma família...". Essa é a atuação do marketing. Já o branding levaria para jantar, falaria palavras bonitas, contaria várias histórias interessantes, despertando o desejo na outra pessoa, antes mesmo de ela ter o pedido oficial do namoro.

Sendo assim, o marketing quer vender, e o branding faz com que as pessoas queiram comprar. Marketing vai até as pessoas. Branding faz as pessoas virem até a marca.

AGORA É COM VOCÊ!
NÃO FAÇA ESSAS TAREFAS, SE NÃO QUISER PROGREDIR!
Levando em consideração que MKT é venda e branding é compra, crie uma estratégia e faça alguém executar alguma ação para você sem que você peça isso.

Conte essa história nos seus stories
e marque os perfis @jrdasneves e @pablomarcal1
Envie-nos a sua experiência no Direct do Instagram.

Capítulo 2

Branding Pessoal

Grandes negócios possuem líderes fortes que se preocupam com o seu branding pessoal. As mensagens que transmite para as pessoas sobre você também podem ajudar, e muito, a valorizar o seu negócio!

Contudo, é preciso ter essência, ser verdadeiro. Ter a chamada autoralidade. E não é só! É necessário validar a sua marca. Quer saber o que fazer? Então, prepare-se para conhecer todos os segredos!

Por que fazer o branding pessoal?

Neste capítulo, vamos falar muito sobre você! Vamos cuidar da sua marca! Você já se olhou como uma empresa? Você é uma marca que caminha sobre a Terra, que está sendo vista por outras pessoas o tempo inteiro!

Não tem como você viver sem construir o seu branding! Mesmo que você não estiver fazendo nada, sentado aí no sofá, ainda assim você está construindo uma mensagem sobre você! Se estiver nesse cenário, deve estar com um branding bem fraco, que não vai lhe auxiliar em muita coisa... mas não deixa de ser um branding!

Acredite, você tem dois caminhos: ou você faz a gestão, a estratégia e o posicionamento do seu branding pessoal, começando a se visualizar como se fosse uma empresa, uma marca pessoal e colocando ingredientes para que essa marca fique cada vez mais forte; ou você continua sem se preocupar com isso e tem uma marca pessoal extremamente fraca, que possivelmente não vai lhe levar a nenhum lugar! Qual caminho deseja seguir?

Como foi abordado no capítulo anterior, faça uma pesquisa em sua casa e pergunte o que as pessoas pensam sobre você, quais mensagens transmite com as suas ações? Faça uma análise sobre os pontos que está acertando ou errando e como pode transformar isso!

Com um conceito de branding pessoal atrativo, você não precisa mais oferecer o seu produto para o cliente. O próprio cliente – ao ver tudo que apresenta sobre a sua imagem – vai querer ir atrás do seu produto. Por exemplo, você é contratado em uma empresa (regime CLT) e outras corporações começam a lhe oferecer oportunidades de emprego por gostarem do seu perfil apresentado em seus canais de comunicação. Ou seja, pelo fato de uma pessoa se destacar em uma empresa e transmitir isso no meio, outras empresas podem começar a desejar tê-lo em suas equipes.

Você pode até pensar: "Eu não quero mexer com o meu lado pessoal, desejo apenas trabalhar com a minha marca, fazer o meu negócio crescer". Mas também tem que analisar: uma pessoa forte por trás de uma marca tem muito mais chances de fazer o seu negócio evoluir!

Por exemplo, você deve conhecer o Flávio Augusto – um dos homens mais ricos do Brasil. É um profissional de grande referência no mundo do empreendedorismo. Há alguns anos, Flávio Augusto começou a trabalhar o seu branding pessoal, criou o conceito de "Geração de Valor" e tornou-se um fenômeno. Qualquer empresa que ele comprar hoje, automaticamente por tê-lo, essa empresa valoriza-se, e muito! Por isso, comece a dar atenção também sobre as mensagens que deseja passar sobre você...

AGORA É COM VOCÊ!
NÃO FAÇA ESSAS TAREFAS, SE NÃO QUISER PROGREDIR!
Liste 3 coisas que a sua marca representa hoje e 3 coisas que a sua marca vai representar no futuro.

Destino

A marca que você tem hoje é exatamente a que você deveria ter! Mas aí você deve se questionar: "Mas eu não curto me expor, as pessoas não pensam nada sobre mim... Muitas nem sabem quem eu sou. Ou, então, as pessoas que me conhecem não têm boa impressão sobre mim". Esse seu posicionamento foi até ontem, pois, a partir de agora, você já tem conhecimento sobre o poder do branding em sua vida! Vamos aos passos iniciais!

Passo 01: destino

O primeiro passo ao pensar em sua marca pessoal é ter um destino. Não dá para gente viver sem saber para aonde quer ir.

Pense bem e planeje-se! Depois de definido o destino, é hora de traçar o posicionamento, criar as estratégias e fazer a gestão para que as metas traçadas se concretizem. Por isso, faça um quadro dos sonhos, tente se visualizar no ambiente que vai querer estar daqui a algum tempo. Esse será o seu destino.

Passo 02: posicionamento

Imagine a sua marca como se fosse uma panela de comida. O posicionamento é você experimentar os ingredientes e sentir o que está faltando e o que tem em excesso para alcançar o ponto que deseja.

Exemplo: ao lançar um produto de uma mulher bem famosa no Brasil, analisei que o lado mãe e o lado esposa dela estavam muito em evidência, enquanto o lado mulher de negócios não estava. Baseado no que queremos fazer as pessoas comprarem (nosso destino), nós precisamos tirar um pouquinho da imagem de mãe e esposa e trazer mais o lado de mulher forte e empresária. Então, era preciso vê-la, em suas redes sociais, chegando na empresa, dando ordens aos funcionários e com roupas que revelem esse lado empresarial (tons mais sérios no figurino sempre são bem-vindos para transmitir essa mensagem). E a partir daí, vamos fazendo esse balanceamento entre mulher de negócio, mãe e esposa diante do "destino" que queremos chegar.

Passo 03: estratégia

É colocar em prática as ações que irão levar as pessoas a pensarem o que ficou definido no seu posicionamento. Faça vídeos e coloque-os em suas redes sociais, por exemplo, com algumas ações do seu dia a dia que possam transmitir as mensagens para o seu "funcionário fantasma", aquele que irá falar sobre você mesmo quando não estiver por perto.

Passo 04: gestão

É acompanhar as estratégias para garantir o posicionamento. Qualquer outra ação que seja colocada fora das estratégias, automaticamente irá mudar o posicionamento. Sendo assim, é cuidar para que o caminho esteja sempre na mesma linha e alcance o destino traçado.

> ## AGORA É COM VOCÊ!
> ### *NÃO FAÇA ESSAS TAREFAS, SE NÃO QUISER PROGREDIR!*
> **Descreva qual vai ser o seu destino!**
>
> _____
>
> _____
>
> _____
>
> _____
>
> _____

Validação de marcas

A validação é algo que você usa para blindar a sua marca. São coisas que deve usar para dizer que a sua marca é de verdade. Em todos os momentos, há milhares de pessoas na Internet que ficam tentando mostrar e ser alguma coisa... Mas não sustenta, porque não é a verdade dos fatos. As coisas não são tão simples quanto parecem. Então, se você quiser criar estratégias para parecer ser alguma coisa que você não é, tire essa ideia da sua cabeça! Antes de parecer ser alguma coisa, você precisa ser realmente de fato! Tem que ser verdadeiro!

Conheça algumas ações e produtos que podem validar a sua marca:

• **Livro:** vale muito a pena você fazer o seu próprio livro. Construa-o! Isso ajuda muito a fortalecer a sua marca, a fazer com que as pessoas acreditem que ela é de verdade e que funciona. Não tem conteúdo? Conte as suas próprias histórias! Viva experiências para ter um arsenal de coisas verdadeiras dentro de você!

• **Palestras:** sejam online ou presenciais, são excelentes meios para fortalecer a sua marca. Aposte nisso!

• **Podcast:** também é um meio para validar a sua marca. Você revela que é uma pessoa relevante aqui na Terra e que tem conteúdo para inspirar.

• **Bastidores da sua vida:** se você é de verdade, não tem como os bastidores da sua vida não serem interessantes. Mesmo que estiver tudo muito no início, mostre os bastidores do que você está fazendo para crescer! Assim aconteceu comigo: as pessoas me assistiram morando em um apartamento de 64 metros quadrados. E agora estão vendo minha casa de 500 metros quadrados! Não mostre apenas quando estiver no auge, mostre hoje subindo os degraus.

• **Geração de valor:** o que você está fazendo para gerar valor para as pessoas na Internet? Lembre-se do seu destino para planejar conteúdos que lhe tragam autoridade para o assunto que deseja se posicionar. Quanto mais conteúdo relevante lançar, mais respeito terá a sua marca.

Outros meios que validam a sua marca: cursos online, artigos em sites próprios (crie um blog, por exemplo), artigos em sites de terceiros; participar de lives compartilhadas... Sim, muitas coisas podem ser feitas para validar a sua marca e evidenciar que o seu conteúdo é de verdade!

AGORA É COM VOCÊ!
NÃO FAÇA ESSAS TAREFAS, SE NÃO QUISER PROGREDIR!
Dos tipos de conteúdos apresentados acima, escolha dois que você vai começar executar hoje.

Conexões

Produtos de qualidade nunca vão ser encontrados nos mesmos lugares que produtos comuns são vendidos. Leia novamente essa frase anterior. Pode observar: quando você vai a um supermercado com estilo atacado, por exemplo, dificilmente irá encontrar um peixe fresquinho de boa qualidade. O mesmo acontece quando quer um objeto de decoração mais sofisticado... Você não irá encontrar em qualquer lugar, você terá que ir em uma loja especializada. O que eu quero dizer com isso? Que as suas conexões falam muito sobre você.

Pensando em seu branding pessoal, estar conectado com pessoas que não traduzem o que você almeja ou, ainda pior, manter relações com pessoas de baixo valor só irá depor contra a sua imagem. Isso porque, quando as pessoas olham para você, elas também olham para as pessoas que estão ao seu redor.

Quando eu posto uma foto minha com os meus sócios – todos eles possuem marcas de extrema relevância –, eu também me incluo nesta mensagem, pois, afinal, eu estou ali no meio. Mas também não adianta estar com pessoas desse nível e não validar a sua marca.

Pare e pense: se você fosse um produto, em qual tipo de loja estaria? Seria uma loja de primeira, segunda ou terceira linha? Acredite, o produto de extrema qualidade não está nem em loja, ele é fabricado sob medida. É feito especialmente para o cliente.

AGORA É COM VOCÊ!
NÃO FAÇA ESSAS TAREFAS, SE NÃO QUISER PROGREDIR!
Escolha uma pessoa que você vai se conectar hoje que vai ajudar no crescimento do seu branding. Escreva os nomes das cinco que estão mais perto de você hoje. Analise-as.

E esses produtos de extrema qualidade não estão próximos de produtos com qualidade duvidosa... Por isso, analise: quem são os produtos/pessoas que estão ao seu redor hoje? Afinal, elas fazem parte do seu branding pessoal também.

Autoralidade

Nada foi criado após o sétimo dia da existência da humanidade. Deus criou todas as coisas até o sétimo dia. Dali para frente, tudo é adaptação. Por exemplo, um carro: tem adaptação do ferro, da borracha e de muitos outros elementos até tudo ser transformado em um carro. A mesma coisa de uma mesa de vidro, que sofreu diversas adaptações a partir da areia. Então, nada é uma grande novidade no Planeta. Tudo é adaptação!

Assim, entenda o conceito de modelagem ou benchmarking. É você avaliar quem são as pessoas que gostaria de ser parecido, as suas inspirações e adaptar a essência dessas referências à sua realidade. Muitas pessoas que nos seguem começaram a replicar nossos conteúdos e até usar as mesmas frases e temas. Isso não é modelagem ou benchmarking. Isso vai contra a autoralidade!

Você pode ver vários vídeos e livros de branding, por exemplo, mas não com o conteúdo que eu transmito para você. Eu sou um exemplo de autoralidade. O tema "branding" pode ser visto em diversos locais, mas não com a abordagem que eu faço, com a mesma analogia ou explicação. Eu realmente aprendi branding, observei muitas coisas, mas adaptei tudo ao meu jeito de explicar e realizar as minhas próprias ações.

Sendo assim, a autoralidade é a adaptação, e não a cópia. Faça com o seu próprio estilo, desenvolva conteúdos com os seus termos e frases, enfim, com algo novo que irá nascer dentro de você. Para isso, o processo tem que ser verdadeiro e natural. Existe uma essência e uma verdade dentro de você que é só sua. E isso você precisa soltar, estimular esse DNA que marca o seu estilo para encontrar a sua autoralidade.

AGORA É COM VOCÊ!
NÃO FAÇA ESSAS TAREFAS, SE NÃO QUISER PROGREDIR!

Escolha o tema e faça uma modelagem para saber quem são as melhores pessoas do país sobre o assunto. Analise e defina quais são as referências que você também deseja se inspirar.

Capítulo 3

Branding de Negócios

Você sabia que um dos grandes pilares para seu negócio crescer é fortalecer o networking? Essa conexão vai muito além de conhecer pessoas... É necessário que as pessoas tenham vontade de engajar com a sua marca.

Neste capítulo, aprenda como ser um líder para defender uma causa e promover um movimento de sucesso na era digital. Aqui pode estar a chave para o seu sucesso!

Storytelling

Era uma vez um jovem que queimava no coração dele transformar a vida da sua família, fazer a diferença nesta Terra. Ele tentou de várias formas conseguir isso. Na mente dele, havia sempre esse pensamento: mesmo que eu esteja com 99, 100 anos de idade, nunca vou desistir de fazer aquilo que nasci para fazer, sempre vou batalhar por aquilo que acredito.

Mas no auge dos seus 30 anos, esse jovem tomou uma decisão que colocava em risco a vida de sua família e várias coisas que ele já tinha construído. Mesmo assim, ele foi em frente e arriscou para tentar algo novo. Ainda bem que esse jovem fez isso! Que bom que ele tomou essa decisão corajosa. Ele não vai precisar chegar até os 100 anos. Com muito menos idade, ele já poderá contar boas histórias.

Com certeza, você deve ter se envolvido com a história do parágrafo acima. "Será que essa história é sobre o Junior Neves? Ou será de alguém conhecido?", você poderá ter pensado agora. Afinal, essa estrutura de mensagem instiga o pensamento. Esse é o poder do storytelling.

Nos capítulos anteriores, foi abordado que é possível fazer o branding de duas maneiras: o de forma impactante (criando uma mensagem mais "agressiva" com um fato de impacto) ou por repetição (fazendo fatos constantes para criar a mensagem da sua marca). Independentemente do tipo de branding, em ambos, deve existir o storytelling.

Storytelling não é simplesmente contar uma história. É preciso criar histórias envolventes, capazes de prender a atenção de quem está escutando. A partir de hoje, você vai usar isso em seu negócio! Para tanto, conheça alguns ingredientes que são capazes de deixar as suas histórias mais interessantes:

• Escolha um tema persuasivo e contraintuitivo

Quando o tema é persuasivo, a pessoa para o que ela está fazendo para escutar a história. Por isso, traga temas diferentes que fazem a pessoa parar e pensar: "Mas como isso?!". Certa vez, em uma live, falei: "Como perder 500 quilos em uma hora?". Todos pensaram: "Nossa, o que será que ele vai dizer? Como isso?". Na verdade, estava fazendo uma analogia de como eliminar o peso que muitas pessoas carregam em suas costas. Estava sendo contraintuitivo (contra a intuição, contra ao óbvio). Somente com esta chamada, despertei a atenção do meu público! Ou seja, persuadi a minha audiência com algo instigante e que, após a explicação do contexto, fez todo o sentido.

Sendo assim, pense qual é o branding da sua marca, qual é a "cicatriz" que quer deixar nas pessoas para sempre ser lembrado e, a partir daí, crie histórias que levem para isso.

• Faça um suspense

Ao longo da história, crie um suspense sobre o que irá acontecer no final. Isso, com certeza, irá prender a atenção de quem está ouvindo!

• Pontos em comum

Entenda quem é a sua audiência e crie pontos em comum entre você e o seu público. A identificação é o ponto de conexão entre você e a pessoa que está escutando.

AGORA É COM VOCÊ!
NÃO FAÇA ESSAS TAREFAS, SE NÃO QUISER PROGREDIR!
Faça um post com uma foto sua ou do seu negócio, escrevendo a sua história. Não esqueça de me marcar no Instagram: @jrdasneves

Os 3 V's do Branding

Eu canso de ver profissionais que gastam toda a energia em detalhes que não vão fazer a grande virada! Muitas pessoas, por exemplo, ficam dias e, até mesmo, meses decidindo as cores do logo da empresa. Isso é importante? Sim! Contudo, não será isso que fará o negócio crescer! É preciso focar a energia onde é preciso, caso contrário, você apenas irá procrastinar. Por isso, aposte sua energia nos três V's do Branding:

- Verdade

De nada adianta criar o nome, as cores e o símbolo da sua marca, se não tiver verdade. A sua marca tem que representar aquilo que você é. Ao consumir o seu produto, a pessoa tem que gostar da essência, sentir a verdade. Não pode ser um produto ou serviço comum. A verdade tem uma "textura" diferente, e isso vende quando as pessoas sentem que é real.

- Valor

Qual é o tipo de valor que a mensagem da sua marca vai consolidar na cabeça das pessoas? Antes de você se preocupar com a embalagem, preocupe-se com o valor do conteúdo. O que vai causar nas pessoas após elas consumirem o seu produto ou o seu serviço? "Puxa, isso tem valor! Está fazendo a diferença na minha vida" – é isso que o seu cliente deve pensar!

- Vontade

Sem verdade ou sem valor, você não vai gerar a vontade de consumir os seus produtos. O cliente tem que sentir a vontade de usar o seu produto ou comprar o seu serviço, pois o que a sua marca oferece gera valor e verdade a ele.

> ## AGORA É COM VOCÊ!
> ### *NÃO FAÇA ESSAS TAREFAS, SE NÃO QUISER PROGREDIR!*
> **Escolha uma marca da sua preferência e escreva qual é a verdade que essa marca transmite? Qual valor essa marca entrega? Qual vontade essa marca instiga em você?**

Networking

Toda marca que consegue ter ascensão e se destacar tem um segredo! É o networking! Não tem como uma marca crescer de forma exponencial sem ter o networking. Ou seja, você precisa se conectar com outras pessoas de valor para conseguir crescer. Esse networking irá impulsionar a sua marca.

Existe uma grande diferença entre "conhecidos" e pessoas que realmente engajam com você. O networking é quando você conhece essas pessoas e elas se envolvem com o seu conteúdo. Vale lembrar que o networking não tem a ver com pedir ajuda, e sim com o interesse da outra pessoa querer impulsionar a sua marca.

Mas como fazer networking e com quem? Tenha familiaridade, ou seja, faça com que a pessoa saiba que você existe. Mas não é simplesmente "bater na porta" da pessoa e oferecer o seu produto. É preciso mostrar que a sua marca tem valor para essa pessoa, ter familiaridade com ela, despertar o interesse.

Um segundo passo é gerar valor. Não adianta perguntar o que o cliente está precisando ou simplesmente apresentar o seu produto a ele. A estratégia é gerar um conteúdo de valor, sem pedir nada em troca, e chamar a atenção desse possível cliente. Gerar valor é entregar conteúdo que a sua audiência precisa! Isto é, selecione as melhores pessoas para consolidar seu networking, descubra a necessidade delas e ofereça o melhor conteúdo para atrai-las.

Acredite, para o seu negócio explodir, 80% será a sua capacidade de fazer networking. Caso contrário, o seu negócio só será apenas mais um entre tantos!

AGORA É COM VOCÊ!
NÃO FAÇA ESSAS TAREFAS, SE NÃO QUISER PROGREDIR!
**Escreva aqui as conexões que deseja fazer.
Faça uma conexão virar um networking hoje!**

| |
| |
| |
| |
| |

Emoções

Todas as pessoas fazem ações movidas à emoção. Compramos através da emoção! Por isso, o branding de uma marca consolidada deve trabalhar esse sentimento. Agora, conheça as cinco emoções que mais mexem com o ser humano:

• 1ª emoção: alegria e entretenimento

A Internet é movida à alegria! Quanto mais despertar essa leveza nas pessoas, mais elas irão compartilhar o seu conteúdo.

• 2ª emoção: raiva

No seu negócio, você pode usar uma linguagem de senso de justiça, criar um inimigo em comum. Consequentemente, o público acaba aderindo o seu serviço ou produto para acabar minimizando esse sentimento de raiva.

• 3ª emoção: medo

O medo move as pessoas a fazerem ou não alguma ação. Exemplos: "Eu tenho medo que meu filho fique doente, tenho medo que meu filho seja sequestrado". Esses medos fazem com que pessoas adquiram serviços ou produtos para se sentirem mais seguras.

• 4ª emoção: tristeza

A tristeza faz com que as pessoas comprem algum serviço ou produto para amenizar esse sentimento. Os psicólogos, por exemplo, acabam ganhando muitos clientes com pacientes envoltos à tristeza, por exemplo.

• 5ª emoção: surpresa

Surpreender a audiência é uma excelente emoção a ser trabalhada. Por exemplo, o conceito "box surpresa" tem sucesso atualmente. Algumas pessoas compram sem saber o que tem dentro desses boxes, apenas para sentirem a surpresa do momento!

Sendo assim, avalie quais emoções podem ser aplicadas em seu negócio. Atenção: você não precisa usar todas as emoções na sua marca, e sim apenas aquelas que sejam mais adequadas ao que deseja oferecer. Quando você atingir essas emoções, as pessoas automaticamente começam a se mover para a sua marca!

AGORA É COM VOCÊ!
NÃO FAÇA ESSAS TAREFAS, SE NÃO QUISER PROGREDIR!
Em quais emoções o seu branding mais se encaixa?

Movimento

Um dos fatores mais importantes do branding de negócios é gerar movimento. Sim, movimento é uma das coisas mais poderosas que existe no universo digital. O principal movimento é a transformação de vida. Então, comece a pensar: que tipo de movimento o seu negócio pode criar para fazer as pessoas engajarem? Você só vai conseguir realmente engajar se tiver um movimento – e este também é uma estratégia de branding para a sua marca.

Para fazer um movimento, é necessário ter um líder. Por exemplo, em vez de você vender água mineral, você deve apresentar um movimento para que as pessoas tenham mais saúde e vivam por mais tempo. E nesse contexto, para atingirem esse estilo de vida, consumam água mineral.

E você só vai conseguir criar um movimento se existir uma causa, que é um bem maior. Então, chame para a ação: "Quem estiver aqui vai vencer junto comigo!". Acredite, as coisas acontecem e se transformam a todos os momentos, mas o movimento sempre continuará.

1º: Líder
Defende uma causa e lidera o movimento.

2º: Causa
É o porquê da sua marca. Por que você tem esse produto?
Por que você oferece esse serviço?
E por que as pessoas devem consumir o que oferece?

3º: Demanda
É preciso ter pessoas que se interessem por essa causa.

Agora, pense: que tipo de movimento seu negócio vai começar a gerar?

AGORA É COM VOCÊ!
NÃO FAÇA ESSAS TAREFAS, SE NÃO QUISER PROGREDIR!

Qual tipo de movimento (líder, causa e demanda) pode engajar mais com o seu Branding? Escreva toda a sua estratégia aqui.

Capítulo 4

A Jornada do Herói

Você sabia que o branding também é construído por meio de histórias? Contudo, não basta contar qualquer história e de qualquer forma! Existem 12 passos essenciais que prendem a atenção de quem está ouvindo. E ao atrair esta audiência, é possível transmitir todos os valores da marca.

É a chamada "Jornada do Herói". Quer saber como ela funciona? Descubra toda a estrutura neste capítulo e comece a aplicar em seu negócio!

Minha História

Eu, Junior Neves, decidi ir para São Paulo, porque um dia eu estava na minha casa, em Santa Catarina, e percebi que o padrão de vida que eu desejava não seria alcançado com o estilo de vida que eu tinha até então. Eu não tinha como realizar os sonhos da minha esposa e nem os meus desejos pessoais. Era impossível eu ir a lugares que eu sempre sonhei. Enfim, não tinha como eu ter o estilo de vida que eu sempre quis.

Eu era fotógrafo, ganhava bem, talvez mais do que 95% da população, mas não era o suficiente para realizar o que eu desejava.

Diante dessa situação um tanto desanimadora, conheci uma pessoa que poderia me ajudar. Ele era o Pablo Marçal. A partir daí, ele começou a me ensinar várias coisas, mas, principalmente, fez com que eu revisitasse aquele fogo que existia dentro de mim. Esse fogo sempre existiu, mas ele começou a arder! Como se pegasse muita lenha e jogasse em uma fogueira! E aí começou a fazer um incêndio gigantesco dentro de mim!

Aquela pessoa que somente estava insatisfeita com a vida, não conseguia mais pensar em fazer outra coisa a não ser como resolver aquela situação. Se eu continuasse a viver daquele jeito, a conta não batia. Eu precisava fazer algo!

E eu tive que tomar uma decisão, uma escolha muito pesada! Olhei para tudo que eu havia conquistado durante os meus 29 anos de vida, e tudo seria descartado ao optar por esse novo caminho. Eu levaria comigo simplesmente o conhecimento.

No entanto, arrisquei! Sai de Santa Catarina e rumei para São Paulo. Conheci pessoas muito diferentes, algumas muito mais inteligentes do que eu. Eram muito mais capacitadas do que eu! Era o meu novo ambiente de atuação, onde estavam sendo desenvolvidas estratégias de marketing digital e lançamentos de produtos digitais.

Durante os primeiros meses após a decisão, tive a sensação que eu poderia ter tomada a decisão mais errada da minha vida! Achei que aquela pessoa que tinha me ajudado a resgatar minha chama interior, estava, naquele momento, tentando me afastar do grupo, deixando claro que eu não era capaz. Porque diante daquilo que eu podia gerar valor, muitas tarefas começaram a aparecer, muito mais atividades do que um ser humano daria conta para fazer! E aí a conclusão que eu cheguei foi: essa pessoa – o Pablo Marçal – está querendo que eu desista. E eu, confesso, eu realmente pensei em desistir.

Assim, certo dia, após um evento onde realizei muito mais tarefas do que um dia eu imaginei realizar, já estava alguns dias sem dormir, deitei na cama e pensei: "Amanhã será o meu último dia! E eu vou desistir!". A mensagem para mim era a que o Pablo Marçal não estava com coragem de pedir para eu ir embora, então ele estava colocando mais tarefas do que eu poderia fazer. Refleti: "Ele deve estar querendo que eu assine a minha 'carta de demissão'". Eu não era funcionário, mas eu ia declarar a minha demissão. Era o meu último dia! Estava vivendo uma situação muito desagradável com a minha esposa, assim como com tudo. Estava muito cansado, sem dormir, tinha emagrecido mais de 6 quilos.

Naquela noite, eu dormi cerca de 2 a 3 horas somente, mas, quando acordei, surgiu uma ideia. Era uma esperança. Tinha decidido ir embora, mas o meu interior não queria. E eu pensei: "Vou arriscar essa última ideia!".

Logo pela manhã, mandei uma mensagem para o Pablo Marçal e escrevi: "Não faz sentido você gastar esse tanto de energia para fazer palestras presenciais. Você está estressando a equipe e está pegando uma carreta de alimentos que poderia nutrir 1 milhão de pessoas e está jogando esses alimentos em uma sala para 80 pessoas. Somente 80 pessoas estão comendo esses alimentos. E o restante do alimento está indo embora, para o lixo! Isso porque 80 pessoas não conseguem comer uma carreta de alimentos. E você está fazendo isso cinco vezes ao dia (que eram as cinco palestras presenciais diárias).

As palestras presenciais eram muito boas, mas estressavam

profundamente a mim, ao meu casamento, a tudo!

Essa mensagem fez uma "cabeça dura" mudar completamente de rota. O Pablo mudou seu pensamento e me disse: "Agora você me convenceu. Daqui para frente, eu não faço mais palestra presencial!".

Logo depois, nós descobrimos que palestras online davam muito, mas muito mais resultados do que palestras presenciais. Nossos produtos explodiram de tamanho, nossas empresas cresceram de forma exponencial. Tudo evoluiu! E hoje não existe mais nada presencial. Tamanho sucesso fez com que eu realizasse meu grande sonho: o de transformar a minha vida e a de todos que estavam a minha volta.

Essa é a minha história. Inseri um ingrediente dramático, além de estratégias, para prender você por estas linhas acima. Elas traduzem também a poderosa Jornada do Herói!

AGORA É COM VOCÊ!
NÃO FAÇA ESSAS TAREFAS, SE NÃO QUISER PROGREDIR!
Conte uma história para sua audiência ou amigos e descubra qual foi o grau de retenção. Escreva a história primeiramente aqui!

A Jornada

Quanto melhor comunicador você for e quanto maior for a sua habilidade de contar histórias, mais fácil será para você construir o seu próprio branding ou o dos seus clientes. Afinal, toda vez que você cria uma estratégia, é necessário contar uma história.

Jornada do herói, ou monomito, é a estrutura de storytelling mais utilizada em mitos, lendas, romances e obras narrativas em geral, criada em 1949 pelo antropólogo Joseph Campbell. O conceito apresenta uma forma cíclica de contar histórias, em que o protagonista supera vários desafios para se tornar um herói.

Os pilares da Jornada do Herói são:

1	2
AMBIENTE	**A DESCOBERTA DE UM PROPÓSITO MAIOR**

3	4
A SOLUÇÃO	**A RECOMPENSA**

A Jornada do Herói é usada para atrair as pessoas e, assim, ter a oportunidade de fazer branding, ou seja, construir uma marca. Atraindo as pessoas, é possível falar sobre a marca implicitamente, além de aguçar desejos e despertar emoções. Com essas estratégias, é possível fazer uma marca nas pessoas.

•• Assista aos vídeos a seguir para ver como algumas empresas lançaram campanhas poderosas com histórias baseadas na estrutura de Jornada do Herói. Para tanto, basta apontar a câmera do seu celular para os QR Codes.

AGORA É COM VOCÊ!
NÃO FAÇA ESSAS TAREFAS, SE NÃO QUISER PROGREDIR!
Anote os pontos em que você sentiu dificuldade e também facilidade na construção da história.

Início da Jornada

Conheça os quatro passos iniciais para construir a estrutura da Jornada do Herói:

1º passo: Mundo comum

É a ambientação inicial, que mostra quem é o personagem,

como e onde ele vive, com quem se relaciona e como sua vida poderia ser monótona e bem parecida com a vida de qualquer outra pessoa comum.

Aqui, a natureza do personagem é apresentada, assim como suas qualidades e defeitos, forças e fraquezas, e demais detalhes capazes de fazer com que o público encontre pontos de identificação com ele.

Por exemplo, o que eu passei na minha vida: trabalhava de fotógrafo dia e noite e, mesmo assim, não ganhava o quanto eu precisava, não conseguia transformar a vida da minha família. Esse cenário é o mundo comum.

2º passo: Chamado à aventura

Apresenta uma transformação, capaz de mudar a situação que está sendo vivida no "mundo comum".

A aventura começa quando o personagem se depara com o conflito, com o chamado para uma missão que o tira do seu mundo comum. Esse desafio está relacionado a fatos importantes para ele, como a manutenção da sua própria segurança ou da sua família, a preservação da comunidade onde vive, o destino da sua vida, ou qualquer outra coisa que ele queira muito conquistar ou manter.

Por exemplo, o que aconteceu comigo: algo surgiu dentro de mim, dizendo que eu precisava inovar, fazer alguma coisa para conquistar a vida dos meus sonhos.

3º passo: Recusa do chamado

Mostra o momento em que o herói pensa em desistir, pois tem medo de arriscar. Afinal, diante de um grande desafio, é natural que surjam medos, hesitações e muitos conflitos interiores. Por isso, em um primeiro momento, o personagem recusa o chamado que recebeu e tenta convencer a si mesmo de que não se importa com aquilo. Porém, o conflito não deixa de incomodá-lo.

Por exemplo, em minha história pessoal, fiquei indeciso em trocar tudo que já tinha conseguido para apostar em um novo negócio, mesmo sabendo que poderia transformar a minha vida.

4º passo: Encontro com mentor

Diante do impasse em que se encontra, o herói precisa de um incentivo. É chegada a hora de ele encontrar seu mentor, que dará a ele o que for necessário para que ele enfrente o desafio que foi proposto.

Nesse ponto, é possível incluir até mesmo algum tipo de força sobrenatural, que dá ao personagem um objeto, um treinamento, conselhos, poderes ou qualquer outra coisa que faça com que ele encontre a autoconfiança necessária para resolver o seu conflito e aceitar o desafio.

Muitas vezes, isso acontece quando percebemos que a vida é muito curta. Isso nos impulsiona a arriscar. Por conta disso, é oferecida a busca por um pedido de ajuda ou orientação. No caso, o mentor é uma pessoa mais experiente e que vai ajudar a fazer a transformação.

AGORA É COM VOCÊ!
NÃO FAÇA ESSAS TAREFAS, SE NÃO QUISER PROGREDIR!
Construa uma história fictícia ou verídica, usando a história do herói.

Meio da Jornada

Agora, desvende os quatro passos do meio da Jornada do Herói:

5º passo: A travessia do primeiro limiar

Finalmente, chegou o momento em que o herói está pronto para cruzar o limite entre o mundo que ele conhece e com o qual está acostumado e o mundo novo para o qual ele deve ir.

O protagonista decide ir com tudo para buscar essa transformação! Na minha história, por exemplo, coloquei toda a mudança em um caminhão e rumei para São Paulo. Fui junto com o caminhão para economizar passagem. Esse caminhão teve problemas e andava a 20 quilômetros por hora!

Enfim, nesta fase, mostramos um enredo dos desafios antes de ser realizada a grande transformação.

6º passo: Provas, aliados e inimigos

Já nesta fase, nada é tão simples quanto parece. Quando o personagem chega em um ambiente novo, ele encontra mais desafios. Ele até faz novos amigos, mas também tem inimigos. Esta adaptação não acontece em um ambiente muito confortável.

É revelada uma visão mais profunda do personagem e sua capacidade de descobrir quem são as pessoas com quem pode contar e quem são as que desejam prejudicar sua jornada, ou seja, seus aliados e inimigos. Nesse ponto, a identificação com o público se torna ainda maior.

7º passo: Aproximação da caverna secreta

Nesta fase, acontece a chamada "virou rotina". Tudo começa a virar rotina e o personagem começa a desanimar.

Fazendo relação com a minha história, após a mudança para São Paulo, três meses se passaram e eu estava pior do que quando estava com a minha vida de fotógrafo em Santa Catarina.

É nesta fase que muitas, mas muitas pessoas desistem. Ou seja, é a aproximação da caverna secreta. É um momento onde você se recua totalmente. Aparecem vários questionamentos em sua mente: "Não é como eu pensava!" ou "Será que eu tomei a decisão certa? Eu acho que eu vou desistir!".

Atenção: ninguém gosta de ver a história de um herói que desiste.

8º passo: A provação

A provação é uma espécie de morte pela qual o herói precisa passar para cumprir o seu destino. Para isso, ele passará por um teste físico de extrema dificuldade, enfrentará um inimigo letal ou passará por um conflito interior mortal.

No meu conceito, esta é a fase de momento de estresse profundo. É gerado um conflito interno imenso, mas você decide "ir para cima". Vira algo surreal, uma explosão de estresse. Nesse momento, ou o personagem se acaba, ou ele vai se renovar, se reinventar e sair do estresse profundo ainda mais forte.

AGORA É COM VOCÊ!
NÃO FAÇA ESSAS TAREFAS, SE NÃO QUISER PROGREDIR!
Em qual parte da Jornada do Herói a sua vida está neste momento?

Final da Jornada

Por fim, conheça os quatro passos finais da Jornada do Herói:

9º passo: A recompensa

A recompensa simboliza a sua transformação em uma pessoa mais forte e pode ser representada por um objeto de grande valor, a reconciliação com alguém querido, um novo conhecimento ou habilidade, um tesouro ou o que mais a imaginação do autor permitir.

É quando o personagem começa a perceber, finalmente, que tudo valeu a pena.

Fazendo um paralelo com a minha história, é quando mandei uma mensagem para o Pablo Marçal expondo o que estava acontecendo e sugerindo uma solução e, então, ele gostou da ideia. Eu fui ouvido! Uma sensação de leveza bateu na minha alma, foi recompensador.

10º passo: O caminho de volta

Então, o personagem volta para a casa feliz, com a sensação de dever cumprido, de estar no caminho certo.

A sensação de perigo iminente é substituída pelo sentimento de missão cumprida, de absolvição e de perdão, ou aceitação e reconhecimento pelos demais.

11º passo: A ressureição

Aqui é o ponto mais alto da história. É aquela última batalha em que o inimigo ressurge quando mais ninguém esperava por isso, nem mesmo o herói. Esse desafio é algo que vai muito além da vida dele, representando perigo para as pessoas à sua volta, sua comunidade, família, enfim, seu mundo comum. Se ele perder, todos sofrem.

É nesse ponto que ele destrói o inimigo definitivamente – ou não – e pode, de fato, renascer para uma nova vida, totalmente transformada para todos.

Na minha história, quando eu sugeri ao Pablo Marçal para trocar as palestras presenciais por online e fui ouvido, ele me deu apenas três dias para organizar absolutamente tudo, enquanto eu tinha sugerido quinze dias! Ou seja, eu tinha três dias para preparar um evento online que garantisse o mesmo resultado do que 17 palestras presenciais. "Se vira, porque você tem três dias para esse negócio funcionar!", disse o Pablo para mim na época.

Contudo, nessa fase, apesar dos grandes desafios, o herói já tem a confiança e as habilidades que ele precisa. Ele simplesmente vai e vence a batalha final!

12º passo: O retorno com o exilir

Chegou o momento do reconhecimento efetivo do herói. A chegada ao seu local de origem simboliza o seu sucesso, a conquista e a mudança. Aqueles que nunca acreditaram nele ou mesmo os que tentaram prejudicá-lo serão punidos, além de ficar muito claro para todos que as coisas nunca mais serão as mesmas por ali.

É o reconhecimento total, a recompensa por todo esforço percorrido.

Em minha história, fiz chamadas tão persuasivas para convidar para o primeiro evento online, que conseguimos alcançar 12 mil pessoas ao vivo na palestra online no Youtube. Ou seja, o que tinha em 17 palestras presenciais, nós conseguimos em 1 hora de evento online. A partir daí, conquistei um grande reconhecimento. A minha vida mudou 100%.

Além disso, em meu primeiro lançamento, alcancei mais de 6 dígitos financeiramente. Consegui 6 dígitos em 1 dia.

Depois fiz o lançamento do Thiago Nigro, que foi o maior lançamento do Planeta Terra. Foram R$ 250 mil investido com retorno de R$ 23 milhões. Também fiz o lançamento da minha esposa, a Keila Neves, que hoje tem 2 mil alunos. Enfim, a realização de um grande sonho.

Passo a passo da Jornada do Herói

AGORA É COM VOCÊ!
NÃO FAÇA ESSAS TAREFAS, SE NÃO QUISER PROGREDIR!

Após identificar em qual jornada você está, analise o que falta para você chegar na última etapa, que é o reconhecimento total. Escreva aqui todo o seu planejamento!

Capítulo 5

Criando uma marca forte

Existe uma tríade poderosíssima que faz você construir uma marca inesquecível. São três passos e, para ter sucesso, você não pode esquecer de nenhum deles.

Neste capítulo, aprenda como se posicionar, executar e obter resultados. Mas não seja um fazedor de coisas, como a maioria das pessoas é. Seja um produtor de resultados!

A Tríade do branding

Você não é conhecido apenas por uma marca, e sim pelas diversas mensagens que transmite. Quando você olha para alguém, por exemplo, interpreta se esta pessoa tem caráter, autoridade, se é interessante... Ou seja, você analisa uma série de conceitos sobre ela. Nosso cérebro fica a todos os instantes interpretando as coisas. E os ingredientes que ajudam a criar essa interpretação referem-se ao branding. E é a forma que iremos misturar esses ingredientes que fará toda a diferença para consolidar uma marca atrativa.

Diante disso, no branding ideal, o essencial é destruir essas interpretações ruins que as pessoas podem ter sobre você ou sua marca e colocar mensagens novas.

A tríade do branding é:

Em toda vez que for necessário incluir mensagens novas no branding, será preciso trabalhar com essa tríade. A gestão de branding é ter conhecimento sobre esses três passos e fazer a mistura correta desses ingredientes (posicionamento, execução e resultado) para que as pessoas consigam enxergar aquilo que eu quero que elas enxerguem. Por exemplo, se eu desejo que as pessoas me vejam como um homem de negócios, é necessário mostrar características como tal e apresentar resultados nesse universo.

> **AGORA É COM VOCÊ!**
> *NÃO FAÇA ESSAS TAREFAS, SE NÃO QUISER PROGREDIR!*
> Qual é a tríade do branding e qual a sua importância?

Posicionamento

O posicionamento é a parte mais importante dessa tríade. Afinal, se você não se posiciona, será muito difícil ter alguma execução e muito menos resultados. Qual o maior erro das pessoas? Elas querem, primeiramente, executar e ter resultados, para depois se posicionarem.

O primeiro passo é se posicionar! Você mostra para as pessoas o seu posicionamento, como também para o seu eu interior. Esse outro eu está mais relacionado com a mente e ao subconsciente.

Toda vez que você assiste a um filme, por exemplo, existem: o filme, você e o seu eu interior. Esse "outro você" só presta realmente atenção, se estiver interpretando as mensagens do filme. Ele vai estar o tempo todo conversando com você, despertando emoções boas ou não.

Para você se posicionar de maneira assertiva, é preciso se ver no posicionamento que deseja e definir as mensagens que devem ser transmitidas. Mesmo que você esteja no início, no primeiro passo, posicione-se em suas redes sociais. A partir do momento que você se posiciona, o seu outro eu já começa a ver você de outra forma. O mais importante é você acreditar que está se posicionando.

Mesmo que você não esteja executando ou tendo resultados, se posicione da forma como você quer ser visto. Tanto nas redes sociais, como no mundo off-line, você deve se portar como deseja que as pessoas te enxerguem. Por exemplo, você quer se posicionar como uma empresária? Mulher de negócios não se veste de qualquer jeito e não fala de modo muito informal. Pense: você está se posicionando com os princípios da mensagem que deseja transmitir?

Quando você entende de branding, você não conversa com a pessoa, e sim com o outro eu da pessoa. Se você conseguir convencer o outro eu da pessoa, aí sim você começa a conseguir resultados com o seu posicionamento.

Sendo assim, escolha as palavras-chaves daquilo que você quer ser visto e lembrado. Defina o que o outro eu das pessoas deve interpretar sobre você. E comece a se posicionar com isso em todos os âmbitos. Afinal, as pessoas interpretam a forma como você fala, as suas microexpressões, a maneira como se veste e até como se senta na cadeira. E também a forma como você se posiciona e se autodenomina.

AGORA É COM VOCÊ!
NÃO FAÇA ESSAS TAREFAS, SE NÃO QUISER PROGREDIR!
Por que se posicionar da maneira correta é importante?

Execução

Muitas pessoas não dão valor para o branding. Exatamente por isso que a maioria não consegue se comunicar e, consequentemente, o público não consegue enxergar nada nelas.

Atualmente, vejo muitas pessoas querendo estar perto de mim. E isso é fruto do que consegui construir lá atrás: me posicionei, executei e estou colhendo os resultados. Aliás, me posiciono o tempo todo, executo em vários momentos e, por consequência, tenho os resultados.

Você precisa ir atrás daquilo que você quer. Tudo o que você deseja só vai acontecer se você for ativo. Posicione-se e comece a ir atrás das suas metas. Não tem como fazer branding, se não tiver o desenho do que deve ser feito. O posicionamento é o desenho. Já a execução é você traçar os caminhos (exemplos: estudar, estar mais próximo de pessoas de valor, gerar conteúdo para sua audiência...). Ou seja, é estar ativo! A execução deve estar bem alinhada ao posicionamento.

AGORA É COM VOCÊ!
NÃO FAÇA ESSAS TAREFAS, SE NÃO QUISER PROGREDIR!
O que você deve fazer para que a sua execução esteja alinhada ao seu posicionamento?

Resultado

O resultado é muito importante, porém ele não vai aparecer se você não fizer as etapas anteriores primeiramente. Além disso, não foque as suas energias em execuções que não vão lhe garantir um resultado interessante. Muitas pessoas até se posicionam e executam, porém elas gastam energia em execuções que não acrescentam. É importante planejar a execução visando o resultado.

Se você já se posicionou e está executando, porém sem resultados. Cuidado: sua execução deve estar errada! A execução tem que estar totalmente ligada ao resultado. Você só pode executar funções que realmente vão lhe dar um resultado positivo. Se conseguir isso, você fecha a tríade do branding! Assim, as pessoas ao olharem para você, irão ver uma marca verdadeira, algo muito fácil de interpretar. Isso serve tanto para a sua vida pessoal como para a sua empresa.

É a mesma coisa se eu juntar o tijolo, o cimento e o telhado. As pessoas vão olhar e entender uma mensagem simples: uma casa. Contudo, esses elementos precisam ser unidos de forma correta para definir essa mensagem. Se eu somente trabalhar com um dos elementos então – a exemplo do cimento –, as pessoas não vão conseguir enxergar uma casa. Elas podem enxergar um monte de coisas, mas podem não conseguir captar a mensagem da casa propriamente.

Você apenas executa se tiver um posicionamento. E só terá resultados se a execução for a correta. Uma coisa está ligada à outra.

AGORA É COM VOCÊ!
NÃO FAÇA ESSAS TAREFAS, SE NÃO QUISER PROGREDIR!
O que as pessoas conseguem enxergar quando juntam: posicionamento, execução e resultado?

Marca forte
Não seja um fazedor de coisas. Seja um produtor de resultados. Para

tanto, você precisa se posicionar e executar, pensando no resultado. Se você ainda não tiver uma marca forte, é porque está faltando uma ponta dessa tríade.

Se uma pessoa apenas se posiciona, porém não executa, não vai conquistar nada. É só uma pessoa que apenas fica falando, falando e não faz nada.

Já uma pessoa que só executa, mas sem posicionamento, na verdade, ela nem existe. Ela vai bater a vida inteira na pedra e não vai conseguir resultado nenhum.

E já a pessoa que só tem resultado, mas não se posiciona e nem executa, é mentirosa. Não tem como ter resultado assim. Também tem aquela pessoa que se posiciona e tem resultado, porém não executa. Acredite, ela não tem uma marca forte. A marca não vai perdurar sem execução. Na primeira pancada que essa marca levar, será destruída.

Então, entenda essa tríade: você precisa das três pontas, e não apenas de uma só. Planeje cada uma delas e comprove os resultados.

AGORA É COM VOCÊ!
NÃO FAÇA ESSAS TAREFAS, SE NÃO QUISER PROGREDIR!
Qual elemento está faltando para você ter uma marca forte?

Capítulo 6

Branding X Consciência

Você sabia que os clientes têm níveis de consciência? Existe aquele cliente que sabe que necessita do seu produto ou serviço para curar a dor dele e, portanto, procura por profissionais como você. Contudo, tem aquele cliente que sabe que precisa do seu produto, mas não o procura. Ele posterga. E há aquele cliente – que é o mais precioso – que não sabe nem dá necessidade de ter o seu produto ou serviço.

Como criar estratégias para atrair cada tipo de cliente ou cada tipo de nível de consciência? Vem comigo neste capítulo que vamos transformar o seu negócio!

O que é nível de consciência

Existem três perfis de pessoas que podem passar pelo seu negócio, e cada uma delas tem um nível de consciência diferente. Alguns níveis de consciência estão mais propícios à compra. Já outro nível de consciência está muito longe de comprar o seu produto ou serviço.

Ou seja, o nível de consciência define o quão perto a pessoa está de se tornar um cliente seu.

Tem o nível de consciência da pessoa que busca em você o solucionador do problema dela. E também tem aquela pessoa que nem sabe que o seu produto ou serviço existe.

Conforme vimos nos capítulos anteriores, o branding comunica com o eu interior da outra pessoa, é um jogo de sedução para atrair a consciência (eu interior) das pessoas.

E para as pessoas que ainda não sabem que você ou sua marca existe, é necessário despertar o interesse nelas. É preciso virar o olhar delas para você, mesmo que elas não saiam do caminho que estão percorrendo. Por fim, tem consciências que já estão vidradas em você. Nesse caso, só é necessário colocar o produto na frente delas para ter resultado, a compra.

Sendo assim, neste momento, você pode estar apresentando apenas uma estratégia para um tipo de consciência e, portanto, não está obtendo os resultados esperados.

Conheça a seguir os três níveis de consciência e saiba como definir estratégias para atrair cada um deles para o seu negócio.

Os três níveis de consciência

Existem três tipos de consciência/clientes. Em seu negócio, você pode elaborar estratégias para atrair os três ou, então, focar em apenas um ou dois tipos de cliente/consciência. Descubra quais são agora:

> **AGORA É COM VOCÊ!**
> ***NÃO FAÇA ESSAS TAREFAS, SE NÃO QUISER PROGREDIR!***
> Defina o que é nível de consciência.
>
>

• Nível 01 de consciência:

São clientes que têm a dor, ou seja, a necessidade de comprar um produto ou serviço. Estão procurando ajuda. Exemplos claros: é a pessoa que está gripada e está procurando remédio ou, então, aquela que está com fome e está procurando comida. Ou aquela que está precisando morar em algum lugar e está procurando moradia.

Acredite, 99% das empresas correm atrás desse tipo de cliente. A propaganda tradicional só quer falar com este cliente. A TV, os panfletos, o rádio... todos querem falar com esse cliente.

• Nível 02 de consciência:

Esse tipo de cliente tem a dor, a necessidade, porém ele não está indo atrás. Ele não está procurando, e sim vivendo a vida dele normalmente.

• Nível 03 de consciência:

Esse cliente não sabe que está sentindo a dor e que não tem a necessidade. Ele não sabe que ele precisa de você. Não sabe que tem a precisão de adquirir o seu serviço/produto.

E como não está "doendo", esse cliente obviamente não está procurando ajuda.

Ou seja, imagine dois oceanos: um vermelho onde tem vários tubarões disputando por alimento, brigando pelo mesmo tipo de cliente (nível de consciência 1). E tem o oceano azul onde somente existe um tubarão com vários peixes e focas para se alimentar (nível de consciência 3).

Como você está aqui, se especializando em branding, você pode ser considerado um tubarão no assunto! Qual oceano você vai querer percorrer? O vermelho – onde todos estão se matando pelo mesmo cliente – ou o azul – límpido para liderar?

AGORA É COM VOCÊ!
NÃO FAÇA ESSAS TAREFAS, SE NÃO QUISER PROGREDIR!
**Os clientes que você procurava até hoje estavam
em um oceano azul ou vermelho?**

Consciência 1

Esse é o cliente que está no oceano vermelho, onde todos disputam por ele. A melhor estratégia para atrai-lo é se posicionar. Tudo que as empresas fazem no off-line como posicionamento de marca, é preciso fazer no online também. E tem muitas empresas que ainda não estão fazendo.

Por exemplo, quando você abre um Pet Shop no mundo off-line, você coloca uma placa com todos os seus serviços, posicionando-se e apresentando-se para todos que passarem por aquela rua que estiver o seu estabelecimento.

No mundo online, é a mesma coisa: no Instagram, por exemplo, faça uma bio atrativa, execute conteúdos para atrair possíveis clientes e mostre os resultados.

Para se destacar entre tantos tubarões, coloque uma "cerejinha no seu bolo", a exemplo de: faça um atendimento ainda mais personalizado. Faça algo, como uma carta escrita à mão junto ao seu produto, na tentativa de fidelizar o cliente.

Já nas redes sociais do seu negócio, humanize sua marca com vídeos onde você mostra a sua cara para levar a solução para a dor do cliente. Ao fazer isso, você já faz o básico bem-feito. Fazendo isso, você já vai atingir muito mais "alimentos" do que os demais tubarões do oceano vermelho.

AGORA É COM VOCÊ!
NÃO FAÇA ESSAS TAREFAS, SE NÃO QUISER PROGREDIR!
Como atingir o cliente que está no primeiro nível de consciência?

Consciência 2

Esse tipo de cliente tem a dor/necessidade, mas não está procurando ajuda. Como você faz para atingir esse cliente? É a inversão de risco ou venda oportunizada. Ou seja, quando você coloca a oportunidade do cliente contratar o seu serviço ou comprar o seu produto.

Quando eu era fotógrafo, trabalhava muito com esse tipo de cliente de consciência 2. Como tinha um estúdio fotográfico, precisava convencer o marido a tirar dinheiro do bolso e pagar o ensaio da família. Era preciso convencê-lo a querer fazer este ensaio, a ter que se arrumar, a trazer a esposa, a levar os filhos que, muitas vezes, ficam chorando...

Diante disso, criei um ensaio gratuito. O marido e toda família iam até o estúdio, faziam as fotos e tinham direito a escolher uma única foto. Quando eles viam o ensaio completo, era muito difícil não quererem comprar as demais fotos. E eu falava que tinha que adquirir naquele dia, já que havia um custo de armazenamento das imagens. Ou seja, trabalhava um gatilho mental da única oportunidade. Forçava dizendo que excluiria todas as fotos, caso eles não levassem o ensaio completo naquele momento.

De 100 clientes que atendia, 99 compravam as fotos. Apenas 1 cliente pegava aquela única foto gratuita e ia embora. Então, fiz muita grana com estratégia de venda oportunizada.

Há mecânicas de carro, por exemplo, que oferecem gratuitamente a vistoria para atrair o cliente. E o cliente acaba fazendo outros serviços pagos no carro por já estar no local.

Veja como esta estratégia pode ser usada em seu negócio também.

AGORA É COM VOCÊ!
NÃO FAÇA ESSAS TAREFAS, SE NÃO QUISER PROGREDIR!
**O que você pode colocar de oportunidade
em seu negócio para fechar novos clientes?**

Consciência 3

Descobri esse tipo de cliente há pouco tempo. Esse é aquele cliente que não sabe que tem a dor, a necessidade do seu serviço ou produto.

Como fazer para atingir esse nível de consciência? Esse cliente é delicado, mas, quando você usa a estratégia certa, é nadar de braçada no oceano azul!

Como esse cliente não sabe que tem a dor, é necessário provocá-lo de outras maneiras, mexendo em outras dores, até ele chegar na conclusão que necessita do seu produto ou serviço.

Para esse cliente, não adianta você mostrar a dor óbvia. Vamos pensar em um exemplo para ficar mais clara a estratégia:

Imagine uma empresa de odontologia estética que quer oferecer facetas para deixar os dentes brancos. O cliente não sabe que ele precisa dessas facetas. Na vida inteira, ele pensou que não necessita disso. Se você simplesmente ofertar a ele: "Vem aqui fazer a sua faceta!" ou "Promoção de faceta" ou "Essa é a sua oportunidade de ter o dente branco", sabe o que vai acontecer? Ele não vai querer fechar com você, pois o nível de consciência dele diz que ele não precisa de facetas para deixar os dentes brancos, que isso é, na verdade, é uma grande bobagem.

Então, como fazer para seduzir o outro eu dessa pessoa a consumir o seu produto? Você precisa bater na verdadeira dor! Quando eu descobri esse conceito, tudo mudou no meu negócio.

Como faz para chegar até essa dor? Faça pergunta para dor óbvia. Nesse caso, a dor óbvia é "dentes brancos". Então, tente desvendar a dor que não é óbvia, é a dor obscura, aquela que não dá para ver.

Sendo assim, descubra três a cinco motivos em cima da dor óbvia:

1- Por que você quer deixar os dentes brancos?
Porque meus dentes estão amarelos, porque eu quero ficar mais bonito;

2- Por que você quer ficar mais bonito?

Porque eu consigo sorrir mais, eu não vou ter vergonha de sorrir.

3- Por que você quer sorrir mais?

Para atrair mais mulheres, casar e ter uma família. Ou porque eu quero me sentir mais à vontade para sorrir para os meus clientes em uma reunião.

Então, você começa a descobrir as dores que não são óbvias e assim atingir esse outro nível de consciência. Imagine uma campanha assim: "Nunca mais deixe de sorrir em uma reunião de negócios". Ou seja, você está vendendo facetas para dentes brancos, mas a dor que irá curar do cliente é o fato que ele vai ganhar mais dinheiro ou até constituir uma família.

Atrair o cliente de consciência nível 3 é falar sobre os benefícios que ele não sabe que existe. Ao aplicar essa estratégia no seu negócio, acredite, você viverá uma grande transformação. Você será único em uma abordagem que poucas pessoas ou empresas fazem.

AGORA É COM VOCÊ!
NÃO FAÇA ESSAS TAREFAS, SE NÃO QUISER PROGREDIR!
**Como atingir a verdadeira dor do seu cliente que possui
nível de consciência 3?**

Capítulo 7

Funil de Branding

O funil de branding é um modelo que representa a jornada de sua audiência desde o momento que ela desconhece a sua marca, passando pelo primeiro impacto com o seu produto até a compra e o pós-venda.

Neste capítulo, você aprende as estratégias necessárias para fazer com que um grande número de potenciais clientes percorra todas as etapas deste funil.

O que é "V", "R", "C" e "F.C"? Vem comigo que eu desvendo, passo a passo, todas essas siglas e como colocá-las em prática a favor do seu negócio!

Introdução do funil

Você já entendeu quais são os conceitos do branding e até sobre os níveis de consciência de um potencial cliente, certo? Agora, é o momento de planejar estratégias! Atrair pessoas para conhecer a sua marca, além de transformar a dor que você cura em muitos clientes.

Essa estratégia serve muito para quem está nas redes sociais. Se você não está nas redes sociais, ainda não se posicionou, já passou da hora... Pare e pense: qual grande empresa que você conhece que não está nas redes sociais?

Para você ter uma ideia, 80% das pessoas que estão online neste momento estão consumindo algum conteúdo dentro de uma rede social. Vale lembrar que só existem dois tipos de pessoas nas redes sociais: aquelas que consomem algo ou aquelas que produzem alguma coisa.

Então, para lucrar, você tem que ser a pessoa que produz. Obviamente, você pode consumir e estudar algo qualificado na Internet, mas é necessário produzir.

O objetivo é fazer com que pessoas que não conhecem a sua marca entrem para o seu funil. E essas pessoas irão percorrer cada etapa do funil até finalizar a compra. É claro que, ao entrar no funil, existem muito mais pessoas do que no final. Por exemplo, você começa falando para 1.000 pessoas até converter em 10 clientes. Sendo assim, quanto mais estrategista você for, mais possibilidades de converter você terá. Isso significa que quanto mais largo estiver o final do seu funil, mais conversão de vendas foi realizada.

Em grande maioria, na forma tradicional de fazer marketing digital, é convertido 1% a 2%. Ou seja, se atingir uma audiência de 100 pessoas, 1 a 2 pessoas consomem o produto. Ao conversar com 1.000 pessoas na primeira etapa do funil, cerca de 10 pessoas acabam adquirindo o produto ou serviço.

Com o branding bem consolidado, essa taxa de conversão é bem maior do que esta. Particularmente, já consegui taxas de conversão de 50% a 80%. Ou seja, fazendo lives, tinha cerca de 2.000 pessoas assistindo e cerca de 1.500 a 1.800 pessoas acabaram comprando. E você só consegue essas taxas com esses níveis incríveis de conversão com estratégias de branding.

Acredite, com estratégias de marketing, é como se você implorasse para a pessoa comprar o seu produto. Já com estratégias de branding, a pessoa, no final do funil, implora para comprar o seu produto. Isso porque terão muito desejo em fazer parte daquilo que você tem para oferecer.

AGORA É COM VOCÊ!
NÃO FAÇA ESSAS TAREFAS, SE NÃO QUISER PROGREDIR!
Quais são as etapas do funil?

O Grande Shopping

Em todas as estratégias que faço, a base é o **Funil de Brandig**.

V = VALOR

R = RELACIONAMENTO

C= CONVERSÃO

F.C. = FILHOTE DA CONVERSÃO

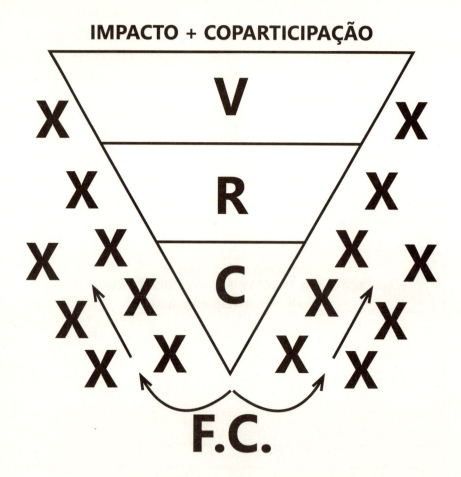

As redes sociais funcionam como um verdadeiro Shopping Center. Pelo shopping, existem consumidores e donos de lojas. Fazendo um paralelo com as redes sociais, posso ser um consumidor que fico perdendo tempo somente nas redes sociais e comprando coisas ou eu me posiciono nas redes sociais, oferecendo meus produtos e/ou serviços.

Qual é o objetivo do shopping? Atrair o máximo de pessoas para ficar por muito tempo neste grande polo de compras e consumo. Com quem o dono do shopping está mais preocupado? Com as pessoas que estão passeando no shopping ou com os lojistas?

Se você respondeu com as pessoas que estão passeando no shopping, errou! Ele está mais preocupado com os lojistas, pois são eles que pagam o aluguel, o condomínio e, até em alguns casos, a participação dos lucros nas vendas. Por isso, o dono do shopping cria atrações (como uma área de alimentação central interessante), chama o Papai Noel, além de convidar nomes de lojas importantes e consolidadas no mercado. Além disso, faz várias estratégias, como promoção e sorteio de carros... Tudo para que as pessoas que estão em casa tenham interesse em ir para o shopping. Sendo assim, o cliente do dono do shopping é o lojista.

O dono do Facebook e do Instagram é o Mark Zuckerberg. O objetivo dele também é atrair o maior número de pessoas para essas redes sociais e fazê-las com que fiquem por lá uma grande parte do tempo. Pare e pense: quem é o cliente do Facebook e Instagram? Não é a pessoa que fica perdendo tempo e consumindo produtos, e sim aquelas pessoas que têm uma "loja" dentro das redes sociais, que produzem conteúdo. Ou seja, além do posicionamento, ainda há gasto lá dentro com tráfego, por exemplo. Como o produtor de conteúdo necessita de clientes, as redes sociais sempre apresentam novidades para fazer estratégias de atração.

A maior estratégia das redes sociais é o algoritmo inteligente, que manda, para cada perfil, posts de interesse para fazer com que determinada pessoa não saia da rede social.

Entendendo esse conceito analógico do shopping, é possível entender 100% das redes sociais. Ou seja, na ilustração da página ao lado, as estrelinhas são as pessoas que não conhecem seu conteúdo ou a sua marca. É necessário criar estratégias de atração para colocá-las dentro do funil. Quais são essas estratégias? É o que veremos nos tópicos a seguir.

Valor mais impacto

Decidiu fazer uma "loja" nas redes sociais? Então, o primeiro passo que você deve fazer é a sua "vitrine", pois, se as pessoas passarem por lá, elas precisam ser atraídas por você. O que vai fazer as pessoas consumirem o seu conteúdo é a sua vitrine! Então, é necessário "arrumar a casa", fazendo um feed harmonioso e com muito conteúdo de valor. Por isso, pense no público que deseja atrair e no conteúdo de valor que irá oferecer para atrair essas pessoas. Quais são as dores (necessidades) dessas pessoas que deseja atrair?

O conteúdo de impacto é aquele que dá vontade de compartilhar, aquele vídeo viral. Já o conteúdo de coparticipação é aquele que é possível ser feito com outra pessoa/perfil. A estratégia é usar a audiência da outra pessoa para chamar mais pessoas para dentro do seu funil. Por exemplo, quando faço um conteúdo com o Pablo Marçal, as pessoas que seguem ele têm a chance de conhecer meu perfil e passar a me seguir.

Essas estratégias só podem ser usadas, após você definir o seu conteúdo de valor. O usuário deve entrar no seu Instagram, por exemplo, e assistir a vídeos com muito conteúdo para ser atraído a sempre consumir os seus produtos. Portanto, não adianta fazer um vídeo viral com um bom conteúdo, se, quando as pessoas entrarem no seu Instagram, apenas se depararem com fotos suas com a família, viajando, sem nenhum conteúdo atrativo a elas.

O grande problema das pessoas é o engajamento, a maior queixa. Muitas fazem um perfil atrativo, mas ninguém interage com elas, não há comentários e nem compartilhamentos, nada! É normal isso acontecer, pois você está começando a montar a sua vitrine, está se posicionando. Depois que você estiver com o perfil bem bonito, atrativo, faça conteúdos de impacto (vídeo viral com excelente conteúdo, algo que "queime" dentro delas) e de coparticipação.

Um ótimo vídeo de impacto que fizemos foi o "Perdi meu irmão antes de pedir perdão", que está disponível no Youtube. Esse vídeo retornou em 250 mil seguidores para nós. O conteúdo de valor é mais fácil de fazer, mas o de impacto tem que ser mais planejado, ter a "sacada" de inovar e mexer com as emoções de quem está o assistindo. Mexa com o contraintuitivo das pessoas, ou seja, as pessoas olham e falam: "Como eu não tinha pensado nisso antes?!".

Aponte a câmera do seu celular e assista ao vídeo de impacto "Perdi meu irmão antes de pedir perdão".

Já o conteúdo de coparticipação envolve networking. Conecte-se a pessoas de valor dentro do seu nicho e gere conteúdos com elas. As "estrelinhas" dessas pessoas irão para você e vão entrar no seu funil. Cuidado: esses novos seguidores só irão permanecer no funil, se o conteúdo for atrativo e tiver valor, caso contrário, eles irão vazar!

AGORA É COM VOCÊ!
NÃO FAÇA ESSAS TAREFAS, SE NÃO QUISER PROGREDIR!
O que é um vídeo de impacto e coparticipação? Escreve aqui! Comece hoje a fazer vídeos de valor e a construir a sua vitrine.

_____
_____
_____
_____
_____

Relacionamento

Você tem o sonho de ter um Instagram com muitos seguidores? Então, você já sabe que tem que investir em vídeos virais e também em conteúdo de coparticipação (gerar conteúdo de valor com outros bons profissionais do seu nicho de atuação). Contudo, de nada irá adiantar fazer essas duas ações e não ter um perfil atrativo. Pense: Qual é a melhor estratégia para atrair borboletas? É fazer um lindo jardim! Com isso, as próprias borboletas irão até o seu jardim! Fazendo um paralelo, o jardim é o seu conteúdo de valor.

Você nunca deve parar de fazer o seu conteúdo de valor, mesmo em paralelo com os vídeos virais e de coparticipação.

O conteúdo de valor deve ser baseado nas necessidades dos seus seguidores diante do seu propósito de venda. O seguidor busca por você para querer estudar, se aperfeiçoar. Você deve passar o sentimento de aprendizado, fazer o seu seguidor sentir que ele não está perdendo tempo nas redes sociais, mas sim aprendendo.

O maior erro das pessoas – ou a maior dificuldade – em não conseguir transformar o conteúdo de valor em clientes (converter) é que não há o "R", ou seja, o relacionamento.

Como eu faço muitos stories e mostro os meus bastidores, crio um sentimento nos meus seguidores que eles são os meus amigos. Então, é natural eles me encontrarem na rua e falarem comigo, quererem me cumprimentar, pois já construí esse elo de relacionamento com eles. Construo esse relacionamento quando eu mostro um pouco mais da minha vida, tenho que apresentar certos códigos que somente os meus amigos sabem. Nos seus stories, mostre suas viagens e outras aventuras aos seus seguidores, compartilhe com eles as suas experiências. Torne-os os seus melhores amigos.

Faça enquetes para saber a preferência dos seus seguidores, demonstrando que você se preocupa com a opinião deles. Ou seja, é estar envolvido, fazendo sempre um movimento junto às pessoas. E sempre peça um feedback. As lives também são muito importantes nessa etapa, já que a troca entre você e o seu seguidor é mais que direta!

Se você não gosta de se expor e, portanto, não irá fazer conteúdo de relacionamento, vai ser muito mais difícil transformar o "V" em "C", sem fazer o "R". Acredite, é muito mais fácil você vender para aquela pessoa que te conhece, que sente em você um amigo ou uma amiga. Quando o seguidor já está em seu conteúdo de relacionamento, é só um detalhe ele virar um cliente seu! Por isso, é tão importante você aplicar um conteúdo de relacionamento em tudo o que faz.

AGORA É COM VOCÊ!
NÃO FAÇA ESSAS TAREFAS, SE NÃO QUISER PROGREDIR!
Faça stories para criar relacionamento com a sua AUDIÊNCIA, e me manda no Direct o feedback dessa estratégia.

Conversão

Quando você for fazer um lançamento, faça um brainstorming ("tempestade de ideias") para apurar temas de conteúdo de impacto. Escreva 50 temas que tenha a ver com o seu propósito de venda e que vão despertar a atenção de seus possíveis clientes.

Feito isso, levante as estratégias para fazer conteúdos de coparticipação. Escolha pessoas fantásticas para dividir lives e outros conteúdos juntos. O objetivo é trazer a audiência desses convidados para o seu funil. Essas etapas são fundamentais para conseguir converter.

Conteúdo de conversão, por sua vez, já é um ambiente pago. É a ponta do funil, ou seja, o seguidor paga para estar lá. Dependendo da sua estratégia, é possível converter em maior ou menor escala. Já vi pessoas que conseguem converter apenas 0.5% de toda a sua audiência. Provavelmente, essas pessoas que convertem muito pouco são aquelas que não têm o relacionamento. Comprador que não se relaciona com o seu cliente só consegue converter em venda para aquele seguidor que realmente está com dor, isto é, com a necessidade! Lembra que falamos do terceiro perfil de consciência de cliente? Aqueles que não sabem que têm a necessidade de adquirir o seu produto? Para esse perfil de consciência, você só irá conseguir converter em venda quando se relacionar com ele, demonstrando como o seu produto pode transformar a vida dele.

O conteúdo pago é a mentoria, o curso gravado, um ambiente pago. Neste local, você tem que, de fato, transformar a vida da pessoa, fazê-la chegar do ponto A ao B, conforme prometido. Sendo assim, você não pode esquecer as pessoas na fase "C" do funil e ponto final. É preciso se preocupar com ela, saber se ela está realmente conseguindo fazer o curso, por exemplo. Se não tiver essa preocupação, não vai existir o "F.C.", que significa o "Filhotes da Conversão", que nada mais é que o seu cliente muito satisfeito e que fará a sua melhor propaganda.

Se o cliente está satisfeito com o seu produto, ele acaba sendo uma verdadeira fonte de bateria para fazer a sua melhor propaganda. Agora, se você não se preocupar com esse cliente, se ele não sentir a transformação do seu produto, ele será uma fonte de bateria que irá falar muito mal sobre a sua marca e, consequentemente, irá afastar muitas pessoas de seu funil de vendas.

Transformou verdadeiramente a vida de um cliente? Então, pode acreditar: ele irá trazer novos clientes para você!

AGORA É COM VOCÊ!
NÃO FAÇA ESSAS TAREFAS, SE NÃO QUISER PROGREDIR!

Vá no meu Direct agora e dê um feedback sobre esse módulo.
Aproveite para escrever aqui suas estratégias para converter mais.

Capítulo 8

Gatilhos Mentais

Os gatilhos mentais são aqueles que ajudam na tomada de decisões. Trabalhar alguns desses "impulsos" em seu dia a dia e em seu negócio podem fazer você conquistar aquilo que realmente deseja.

Existem diversos gatilhos, contudo, neste capítulo, ensino aqueles que considero fundamentais para o seu sucesso. Quer saber quais são? Então, vem comigo e aprenda a colocá-los em prática!

Autoridade

Você pode usar os gatilhos mentais em diversas ações da sua vida, desde nos seus relacionamentos até na gestão de sua marca. São estratégias de forma ativa que causam o efeito passivo, ou seja, você convence o "outro eu da pessoa" a fazer aquilo que deseja que ela faça.

Um dos gatilhos mais importantes de todos é a autoridade. É fazer com que a pessoa olhe para a sua marca e tenha interesse em adquirir os seus produtos. Sendo assim, diante de suas ações, a pessoa vai olhar para você e pensar: "Essa pessoa sabe o que ela está fazendo". Ou seja, você não pede para alguém confiar em você. Você deixa implícito em suas atitudes essa confiança.

Por exemplo, você olha para mim, Junior Neves, dando aula para mais de 14 mil alunos e pensa: "Esse cara deve ser muito bom em branding para ter tantos alunos que param para assisti-lo".

Muitas pessoas mostram os bastidores em um carro top ou viajando pelo mundo, pois isso traduz que ela tem dinheiro, logo ela tem resultado. E se ela tem resultado, é porque tem autoridade.

Contudo, vai chegar em um estágio, que você pode "pular essa fase". Isso porque as pessoas já sabem que você é muito bem-sucedido, logo, não precisará passar essa mensagem. Atualmente, por exemplo, posso usar uma roupa mais simples do que um terno para reforçar a minha autoridade. A pessoa chega a um outro gatilho: "Nossa, essa pessoa é tão rica, mas ela vive uma vida humilde, simples". Você ganha ainda mais a confiança da pessoa, pois a conexão entre você e ela aumenta.

Imagine uma pessoa vendendo cocada na rua. Se ela estiver vestindo uma roupa simples, como aquelas que usamos para ficar em casa, talvez ela não transmita a confiança de que esta cocada é muito boa, que foi feita em um ambiente limpo e higienizado. Ao passo que se ela se vestir com uma luva descartável, algo para amarrar e proteger o cabelo, uma roupa clara, ela consegue transmitir uma outra mensagem – bem mais positiva – para o produto que está vendendo, concorda?

Outro ponto muito importante é a presença de comando, que é como você lidera uma situação. Ao chegar aos lugares, você apresenta tanta "presença de comando" que ninguém ousa duvidar do que está dizendo. Por exemplo, quando você fica sabendo de pessoas que entraram em festas sem convite, traduz que ela tem tanta presença que as pessoas passam a não duvidar do que ela fala. Não use isso negativamente para a sua vida, e sim de maneira positiva para ter liderança no que é real. Esse recurso deve ser mais usado quando você ainda não tem tanto resultado para mostrar. É importante se vestir com uma roupa que seja compatível com aquilo que você deseja ser interpretado, tenha uma postura forte e autêntica.

Mais um ponto que gera autoridade é a firmeza na voz. Ao falar com voz trêmula, você aparenta que tem medo e não vai passar confiança. Se você gaguejar demais, pedir desculpas constantes, falar muita gíria, tudo isso pode depor contra você. Não precisa ter uma voz top, digna de ser um locutor de rádio, mas é necessário ter firmeza.

Contudo, o que mais leva autoridade para você é gerar resultado e mostrá-lo. É infinitamente mais fácil gerar novos resultados apresentando os atuais. Sendo assim, se você está no início e ainda não tem um resultado comprovado, dê o seu produto de forma gratuita para pessoas importantes do meio e colha depoimentos sobre o que acharam. Isso já comprova a qualificação do seu produto.

AGORA É COM VOCÊ!
NÃO FAÇA ESSAS TAREFAS, SE NÃO QUISER PROGREDIR!
Para que servem os gatilhos mentais?
O que fazer para gerar autoridade?

Reciprocidade

Este é mais um gatilho mental poderoso. Quando uma pessoa faz muito por você, é natural do ser humano querer contribuir de alguma forma, ou seja, honrar por aquilo que está recebendo.

A reciprocidade é muito boa para você se conectar com pessoas. Em vez de você oferecer seu produto simplesmente, você oferta algo gratuitamente que irá agregar na vida do seu potencial cliente. Por exemplo, se você é Social Media, que tal oferecer a reformulação da bio do Instagram gratuitamente a seus seguidores. Acredite, a chance de eles fecharem algo maior com você é bem superior do que você simplesmente dizer a eles que é Social Media.

Seguem alguns gatilhos da reciprocidade para usar com os seus potenciais clientes:

• **Teste grátis** (dê uma amostra do seu produto sem cobrar nada, apenas com a intenção do potencial cliente conhecer a sua qualidade);

• **Conteúdo gratuito** (gere resultado para os seguidores sem pedir absolutamente nada em troca);

• **Atenção personalizada** (faça uma carta manuscrita e com o nome do potencial cliente, mostre o quão importante ele é);

AGORA É COM VOCÊ!
NÃO FAÇA ESSAS TAREFAS, SE NÃO QUISER PROGREDIR!
Como gerar reciprocidade?
Use o gatilho de reciprocidade com as pessoas perto de você.

• **Linguagem de amor** (tudo que você quer da pessoa, faça antes por ela).

O objetivo é gastar energia com os seus seguidores para que eles sejam recíprocos com você.

Prova social

A prova social é quando você consegue documentar que o seu produto funciona, que gera a transformação na vida das pessoas. Pode reparar: toda propaganda que você analisar, deve ter uma prova social no meio, comprovando que aquele produto ou serviço realmente é muito bom.

Nas landing pages (páginas de captura de clientes), por exemplo, é muito comum usar depoimentos de clientes satisfeitos. Isto é, a chamada prova social.

Se o potencial cliente tiver alguma dúvida em relação ao seu produto, quando ele se deparar com os depoimentos, essa dúvida será sanada. É como se a pessoa pensasse: "Puxa, se esta pessoa está conseguindo resultados com esse produto, então eu também posso conseguir".

Se você tem um produto que serve tanto para pessoas de 15 anos a 45 anos, é importante que haja prova social, ou seja, depoimentos com diferentes faixas etárias para que haja a identificação. O "eu interior da pessoa" pensa: "Se esse menino de 15 anos e esse homem de 45 anos conseguem, também posso conseguir".

No meu negócio, a prova social é o combustível de tudo o que eu faço. Se você ainda não tem prova social, você pode gastar energia distribuindo seu conteúdo gratuitamente para algumas pessoas e colher, posteriormente, os depoimentos sobre o que acharam deste referido produto.

A prova social quebra a maior objeção de todas que é a pessoa acreditar que ela também é capaz de conseguir. A prova social não necessita ser apenas um vídeo, pode ser um comentário em um post ou até uma mensagem no seu Whatsapp. Peça autorização para compartilhar esse feedback tão positivo que recebeu. Essa documentação pode ser usada em diversos meios de comunicação: desde os seus stories até o seu próprio site.

> ## AGORA É COM VOCÊ!
> ### *NÃO FAÇA ESSAS TAREFAS, SE NÃO QUISER PROGREDIR!*
> **Qual a importância do uso do gatilho de prova social?**

Urgência e antecipação

Urgência refere-se a todas às ações ativas que podem ser realizadas para que meu potencial cliente não demore para comprar. A compra é algo químico, ou seja, grande parte das compras que as pessoas realizam parte do emocional. Compram por emoção e justificam essa compra por meio da razão. Então, é necessário impulsionar essa compra o mais rápido possível antes de a pessoa mudar de ideia.

Baseadas no gatilho de urgência, muitas empresas usam até um cronômetro. Você já viu? Alguns sites oferecem um tempo limite para a pessoa comprar aquele produto por um determinado valor mais em conta. Você impulsiona a pessoa fazer a compra antes que ela perca o desconto de 20%, por exemplo.

Nos lançamentos digitais, o ideal é deixar um período curto para a pessoa comprar, a fim de não perder o lançamento promocional. Caso contrário, ela perde mesmo esse desconto.

Já o gatilho de antecipação é você gerar o desejo de a pessoa querer saber o que irá acontecer. Exemplo: "Daqui 5 dias, chegará um produto exclusivo aqui na loja". Faz uma contagem regressiva até o lançamento para gerar essa antecipação, toda uma expectativa nos potenciais clientes. Por exemplo, antes do lançamento do último iPhone, há toda uma estratégia de antecipação para saber sobre as novidades de possíveis funções do aparelho. Começa a vazar hipóteses de como será – isso é, na verdade, estratégia para criar expectativas e desejos, de tornar o lançamento ainda mais esperado.

AGORA É COM VOCÊ!
NÃO FAÇA ESSAS TAREFAS, SE NÃO QUISER PROGREDIR!
**Escreva aqui qual gatilho de urgência você
pode usar para o seu negócio?**

Escassez

O gatilho da escassez é você fazer com que a pessoa compre com o medo de ela ficar sem aquele produto. É você deixar bem claro para a pessoa que as "vagas são limitadas" ou que o "estoque é limitado". E quanto mais valor o seu produto ou serviço gerar e quanto mais real for a escassez, mais o gatilho da escassez pode funcionar.

Por exemplo, alguns ingressos para a Copa do Mundo acabam em segundos. Isso porque as pessoas sabem o valor da experiência que esses ingressos possibilitam e que há realmente muita procura por eles. Para entrar no estádio, há realmente um número limitado. E quando acabar, realmente acabou.

O gatilho da escassez é um dos que mais contribuem para a pessoa tomar decisões rapidamente. A chamada "unidade limitada" é muito usada. Muitas concessionárias de automóveis usam esse poderoso gatilho. "Se você não comprar esse carro agora, você pode perder uma grande oportunidade, pois não há outro modelo nesta cor como gostou". Como o potencial cliente está movido pela emoção, ele fica desesperado por efetuar a compra o quanto antes.

Sendo assim, o gatilho da urgência é baseado no tempo. Já o gatilho de escassez trabalha a questão que o produto irá acabar, que é limitado. Exemplo: Tem 200 pessoas interessadas na mentoria, porém só tem 20 vagas. Corra para se inscrever!

E agora, quais gatilhos mentais irá usar em seu negócio e até em seu dia a dia para conquistar o que tanto sonha?!

AGORA É COM VOCÊ!
NÃO FAÇA ESSAS TAREFAS, SE NÃO QUISER PROGREDIR!
Use os gatilhos mentais no seu dia a dia.
Escreva aqui o que irá fazer.

Capítulo 9

Antropologia Digital

Você sabia que existem três partes do nosso cérebro que precisam permitir uma determinada compra para você fazê-la? Por isso mesmo, pensando nesses "três cérebros", precisamos elaborar estratégias específicas para conseguir o consentimento de cada um.

Quer saber quais são essas etapas e como vencê-las para conseguir vendas efetivas, ou melhor, oportunidades para seus clientes? Descubra, passo a passo, tudo agora!

Conceito

Antropologia digital é o estudo do comportamento das pessoas no digital. Existem peculiaridades que diferem a postura do ser humano quando este está no meio off-line e no online. E quando conseguimos interpretar esses detalhes, é possível prever qual o movimento das pessoas e qual é a coisa mais incrível que você pode fazer para te dar muito resultado.

Neste capítulo, você vai entender que todos nós temos três personagens dentro do nosso cérebro. Lembra do "funcionário fantasma" que falamos no início deste livro? Pois bem, cada pessoa tem três possíveis funcionários fantasmas! Eles são responsáveis por fazer você mudar de decisão.

Esses cérebros são:

- **reptiliano ou primitivo** (cuida para você sobreviver);
- **límbico** (responsável pelas emoções);
- **néocortex** (responsável pela lógica e pelo raciocínio).

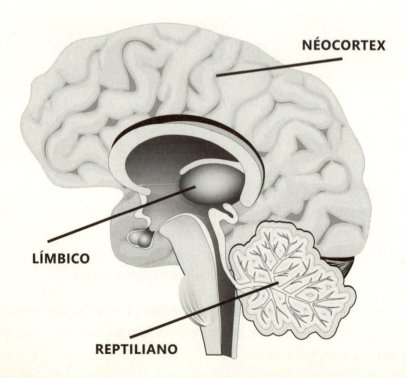

O branding está totalmente ligado ao cérebro emocional. Lembrando que a grande parte das pessoas compra pela emoção, e não pela razão. Entendeu a importância do branding para as vendas?!

AGORA É COM VOCÊ!
NÃO FAÇA ESSAS TAREFAS, SE NÃO QUISER PROGREDIR!
Qual o nome da parte do cérebro responsável pela emoção?

Primitivo

Esse cérebro é o primeiro adversário em um processo de vendas. Consiste no primeiro general que existe na mente da pessoa. Sendo assim, é necessário ultrapassá-lo para conseguir vender um produto ou serviço. Você precisa ficar amigo do cérebro primitivo de seu potencial cliente, ele precisa acreditar na sua verdade.

Essa parte do cérebro também cuida de nossa energia, é responsável por fazer nosso coração não parar de bater. Ele faz de tudo para sobrevivermos, protegendo-nos de diversas formas.

Nas vendas, é preciso provar para esse primeiro cérebro que o que eu tenho para oferecer é verdadeiro, não é balela. E esse potencial cliente não correrá risco de nada. Sendo assim, quando tem "a descoberta", dá mais vontade de saber o que é esse tipo de negócio. Isso porque o cérebro reptiliano é responsável também por descobrir as coisas, pela curiosidade. O caminho mais eficaz não é chamar a atenção dele, mas sim fazê-lo descobrir algo. Por isso que, particularmente, eu, Junior Neves, gosto de falar com as pessoas que não sabem que têm a dor, pois aí elas precisam descobrir algo novo, estimulando essa parte tão importante do cérebro em uma venda.

Se você tentar vender um produto que anuncia: "Consiga fazer R$ 30 mil por minuto". No mesmo momento, o cérebro reptiliano diz: "Isso não funciona, é balela". Mesmo que seja um método verdadeiro, o cérebro reptiliano não faz você acreditar nessa oferta. Agora, se você anunciar: "Ganhe de R$ 3 a R$ 5 mil reais sendo Social Media". O cérebro reptiliano faz você pensar: "Isso é plausível". Como isso parece ser mais verdadeiro, você consegue vencer essa barreira do cérebro e a pessoa tende a buscar mais informações sobre a oferta.

É muito importante "domar" essa parte do cérebro, pois ela tende a fazer você procrastinar, já que quer que poupe o gasto de energia. Essa parte primitiva ocupa 55% de todo o seu cérebro. É muita coisa!

AGORA É COM VOCÊ!
NÃO FAÇA ESSAS TAREFAS, SE NÃO QUISER PROGREDIR!
Como ultrapassar a barreira do cérebro "Primitivo"?

O Emocional

Já a parte límbica do cérebro refere-se à emoção e ocupa 38%. Como eu disse no capítulo "Funil de Branding", se não houver relacionamento (o "R" do Funil), será muito mais difícil as pessoas comprarem. Quando você se relaciona com os seus potenciais clientes, a probabilidade de compra é muito maior.

Nessa parte do cérebro, conseguimos processar as emoções de raiva, alegria, tristeza, amor, orgulho... Com isso, em nossa estratégia de venda, é necessário ultrapassar mais essa barreira, ficando amigo dessa parte do cérebro, ou seja, das emoções do seu potencial cliente.

Acredite, as pessoas não estão nem aí para o racional. Se o seu cérebro fosse altamente racional, você não ia postergar, iria ler o dia inteiro, não gastaria energia em memes e nem com conversa fiada... Se você fosse racional, jamais cederia a vontade de comer um chocolate! Não acharia ruim comer algo com gosto altamente ruim, se fizesse bem para a sua saúde. Mas não agimos assim, porque o racional é pequeno, refere-se apenas a 7% do nosso cérebro.

Sabendo disso, se você for um corretor de imóveis, por exemplo, antes mesmo de você falar sobre a metragem da casa, fale sobre as emoções que esse local vai gerar. Dizer que essa casa fica próxima à uma região importante ou outros pontos que façam a pessoa se orgulhar de morar ali.

Faça uma análise: por que realmente comprou as suas últimas aquisições? Será que foram embasadas na razão ou no emocional? Seja bem sincero e pense sobre isso. É importante você ter esse autoconhecimento. Eu sei, por exemplo, que sou orgulhoso, senão eu não teria comprado um carro de R$ 500 mil. Com certeza, comprei por questões emocionais.

Por conta dessas conexões emocionais com o seu cliente, entendemos que o storytelling funciona tão bem na construção do branding. Já uma pessoa que fala muito tecnicamente não dá muito certo. Nas lives, por exemplo, as pessoas estão interessadas em uma boa energia, sentimento gostoso, uma frequência boa... para ambos se conectarem emocionalmente. E quando você gera essa conexão, o seu cérebro límbico aceita a oferta de um produto.

O límbico é o cérebro emocional responsável pelas emoções e comportamentos sociais. Para ativá-lo, é preciso ser menos técnico e mais humano na hora de compartilhar sua missão, seus serviços, etc. Domine todas as técnicas, mas, ao tocar uma alma humana, seja apenas outra alma humana.

Racional

Esse tipo ocupa apenas 7% do seu cérebro e é chamado de néocortex. E toda vez que conseguir ultrapassar a fase da emoção no límbico, precisará chegar a este racional. A justificativa da compra não pode ser irracional. As pessoas não aceitam fazer coisas irracionais. Quando uma pessoa faz o mal para uma pessoa, ela sempre tem uma justificativa racional, na verdade dela, por ter feito aquilo. O néocortex não aceita você concluir a ação sem ter uma razão para tal.

Se você pensar no exemplo do carro. A compra pelo emocional é por ter 500 cavalos, bancos vermelhos, design arrojado... Mas a compra pelo racional traduz "é seguro para minha família" ou "esse carro vai me trazer dinheiro, pois vou fazer um excelente networking com ele".

A decisão de compra não acontece no néocortex, e sim no límbico. Contudo, a pessoa vai usar o néocortex para justificar a compra dela. Ninguém vai falar, por exemplo, que comprou um modelo de celular de última geração para se aparecer, para evidenciar que é rico e que tem bom gosto. Sempre irão usar o racional para dizer que tem tantas câmeras, muita memória e por aí vai...

Vamos então pegar como base o lançamento dos "3L's" (Três Liberdades: geográfica, de tempo e financeira), da minha esposa, Keila Neves, no qual participo muito e tenho muito orgulho. A primeira impressão é atrás de descoberta. Ou seja, 80% dos alunos não sabia qual era a profissão de Social Media. E eles tiveram a descoberta desse tipo de profissão. Então, ele clica e se depara com uma oferta muito plausível que é "Lucre de R$ 3 a R$ 5 mil reais trabalhando de casa, do seu computador". Com isso, o cérebro reptiliano deixa passar e aceita a proposta.

Como grande parte dos nossos alunos dos "3L's" são mulheres e mães, ganham muito pouco em seu CLT ou não gostam de seus empregos, nós fazemos o apelo emocional: "Veja seus filhos crescerem trabalhando em casa!" ou "Trabalhe de casa e ganhe ainda mais do que em um trabalho registrado". Ou seja, trabalhar as dores verdadeiras dos seus potenciais clientes. A dor verdadeira não é aprender como ser um Social Media, e sim estar mais próximo do filho ou ser melhor remunerado em um negócio próprio. Por consequência, o límbico deixa passar e aceita a proposta.

Por fim, preciso passar pelo racional que é: "Muitas pessoas estão prosperando com esta profissão, preciso conhecer também" ou "Muitas empresas estão precisando desses tipos de profissionais". Feito isso, o racional possibilita efetuar a compra.

Não é à toa que essa é uma excelente estratégia, pois ativa as permissões dos três cérebros.

AGORA É COM VOCÊ!
NÃO FAÇA ESSAS TAREFAS, SE NÃO QUISER PROGREDIR!
Quais são os "três cérebros"? Defina as características de cada um.

Capítulo 10

Funil de Branding
Com a ponta para cima!

Sou criador de um método inovador: o funil de conversão de branding. Neste modelo, são elaboradas estratégias diferenciadas de descoberta, interpretação, desejo e oportunidade.

Neste capítulo, entenda, em detalhes, cada fase deste funil. As etapas são fundamentais para a sua marca ser desejada por muitos. Embarque neste conteúdo e esteja pronto para decolar! Transborde em sua vida!

O Funil de Branding

Lembre-se que, no branding, o foco não é a venda, e sim a oportunidade de ter o produto em questão. Entenda, agora, o modelo de funil para acontecer uma compra.

No funil AIDA – Funil Convencional do Marketing –, o primeiro passo é despertar a "atenção" da audiência. Geralmente, as estratégias de marketing são mais agressivas, possuem como objetivo que a pessoa pare o que está fazendo para entender sobre o que está sendo anunciado. Como segunda ação, é instigar o "interesse". Na sequência, são apresentados os elementos que despertam o "desejo", a sedução pelo produto. E, por fim, a chamada para "ação", usando gatilhos de escassez, como "Compre agora" ou "Só até amanhã".

Funil tradicional de Marketing

Já no Funil de Branding que foi criado por mim, o primeiro passo é gerar uma "descoberta". Por isso que o ideal é trabalhar com o nível de consciência três do cliente, ou seja, aquele que ainda não sabe que tem a verdadeira dor. Como segundo passo, instigo a "interpretar" que essa dor é uma necessidade dele. Já no terceiro passo, surge o "desejo" – o cliente/lead olha para mim e pensa: "Eu preciso dele". Por fim, é gerada a "oportunidade", etapa que acontecem as compras.

Funil de Branding

AGORA É COM VOCÊ!
NÃO FAÇA ESSAS TAREFAS, SE NÃO QUISER PROGREDIR!
Quais são as etapas do funil de branding e como funcionam?

_____
_____
_____
_____
_____

A Descoberta

Quando você coloca as estratégias de branding em prática, você não fica desesperado. Isso porque as pessoas que vão até você, e não ao contrário. Por isso, o branding é tão poderoso! Atenção: não coloque o dinheiro na frente de tudo! Em vez de ficar pensando como irá ganhar o seu dinheiro mensal, naquela loucura insana, pense nas estratégias para atrair os clientes para você. O branding é uma estratégia de sedução. Você tem que "se fazer de difícil". Por exemplo, você diz para o seu possível cliente: "Calma, deixa eu analisar o seu perfil para ver se podemos fechar um contrato com você". Com isso, a pessoa fica naquela expectativa para realizar o trabalho. No branding, você tem que ter "sangue frio" para criar essa expectativa.

A descoberta é a primeira fase do funil de branding. O objetivo inicial é fazer com que as pessoas que estão fora do funil descubram que tenham uma dor. A intenção é que as pessoas conheçam algo novo durante o caminhar delas. Elas não precisam se desviar da própria rota, e sim apenas fazer uma nova descoberta. Exemplo: uma mãe que trabalha muito fora pode fazer a descoberta que é possível ganhar dinheiro trabalhando em casa, mais próxima aos seus filhos.

A parte da descoberta do funil tem muito a ver com a dor verdadeira. Sendo assim, a pessoa tem que descobrir que você existe e que não é tão simples e fácil fechar um contrato com você. Trabalhe sempre a escassez. Seu produto ou seu serviço devem ser difíceis de serem conseguidos. Tudo que é escasso é mais caro. Lembre-se do "ouro, prata e bronze" – não é por conta da beleza que eles possuem essas três categorias, e sim pela quantidade que existem na Terra. Quanto menor a quantidade, mais valioso.

Uma boa estratégia para gerar descoberta é por meio de vídeos de impacto ou de coparticipação. Analise quais conteúdos seriam impactantes dentro do seu nicho para atrair mais pessoas. E se quiser potencializar ainda mais, invista no tráfego para o público que deseja atingir. Nas redes sociais, existem as postagens orgânicas – não pagas – e as impulsionadas – pagas. Quando você investe nesta última, o seu conteúdo pode ter um alcance muito maior.

> ## AGORA É COM VOCÊ!
> ### *NÃO FAÇA ESSAS TAREFAS, SE NÃO QUISER PROGREDIR!*
> A descoberta é a primeira fase do funil de branding. Pensando no seu negócio, estabeleça estratégias para possíveis clientes descobrirem a sua marca hoje de forma eficaz.

Interpretação

Em branding, é necessário trabalhar vários elementos para que, unidos, construam uma marca sólida. Fazendo um paralelo com uma pessoa, analise:

• **Mensagem:** aquele homem é um bom ser humano, sempre disposto a ajudar. Para transmitir esse conceito, você precisa de estratégias de posicionamento, execução e resultado.

• **Mensagem:** aquele homem é inteligente, possui muito conhecimento. Para consolidar isso, você também vai precisar de estratégias de posicionamento, execução e resultado.

Outros conceitos como "saúde", "dinheiro" e "autoridade" podem também ser trabalhados, e sempre com as estratégias da tríade do branding. E juntando todos esses conceitos apresentados, torna-se uma marca forte. O possível cliente pode pensar: "Essa marca é interessante, pode me ajudar a construir a minha marca também".

Faça também um paralelo com uma casa: você pode trabalhar os conceitos de tijolo, cimento, telhado... E esses juntos formam o conceito da "marca casa". Ou seja, todas essas coisas devem fazer sentido dentro do conceito que você deseja formar.

Contudo, existe o branding inteligente e o aleatório. No inteligente, você trabalha todos os elementos de forma que, quando a audiência olhar, entenderá a marca que idealizou. Já se trabalhar apenas em conceitos aleatórios, as pessoas não terão a mensagem final do que é a marca.

Veja quatro ações que podem lhe ajudar a criar os contextos de interpretação:

• 1. Storytelling
Conte histórias que conectem com as pessoas. Veja quais são as dores que deseja atingir e compartilhe histórias que já vivenciou sobre essa dor.

• 2. Prova social
Mostre a transformação que já fez na vida de outras pessoas. Pense em dois restaurantes, por exemplo. Um vive cheio e o outro, vazio. Em qual você teria mais confiança em ir?

• 3. Audiência
As pessoas necessitam ver que suas lives estão bombando, que os seus posts têm comentários, além de ter muitas respostas e interações em suas caixinhas de perguntas...

AGORA É COM VOCÊ!
NÃO FAÇA ESSAS TAREFAS, SE NÃO QUISER PROGREDIR!
O que é utilizar um branding inteligente?

O pensamento é: "Se ele tem muita audiência, significa que o negócio deve ser bom". Isso gera contexto de interpretação de quem você é.

• 4. Relacionamento

As pessoas precisam sentir que elas são suas amigas. Os seguidores acompanham tanto seus stories que eles passam a ser seus amigos.

Desejo

O desejo é fundamental para a efetuação da compra. A oportunidade é tão sedutora que a pessoa até se sente mal, caso ela não consiga usufruir. Por isso mesmo, confira três ações que irão causar desejo nas pessoas:

• Resultado Micro

Você já deve ter visto no supermercado aquelas amostras que são servidas para experimentar. Certa vez, presenciei, até mesmo, uma marca assando carne para servir naquele momento em uma churrasqueira elétrica! O cheiro me deixou maluco e me fez experimentar! Gostei tanto desse microrresultado que eu levei a carne para fazer em casa.

Ou seja, no seu negócio, você pode criar estratégias para seu cliente poder experimentar. Com isso, a venda pode ser certa!

• Experiência

Crie estratégias para gerar emoções! Conte histórias para as pessoas se emocionarem e até chorarem! Não é manipular as pessoas, mas sabemos que as emoções geram desejos também. Quando ela se sente emocionada, logo pensa: "Eu preciso estar com esta pessoa, necessito viver esse movimento!".

• Sentimento de pertencimento

A maioria das pessoas é carente. Sendo assim, trabalhar o conceito de pertencimento, gera o desejo de estar próximo a você e ao seu negócio e suprir esta carência.

Lembre-se: toda vez que falamos sobre branding, não estamos falando "O que? E para que?". Tudo que é muito operacional não vai ter preço alto. O "por que" das coisas sempre é o valioso, tem que ter um significado maior.

AGORA É COM VOCÊ!
NÃO FAÇA ESSAS TAREFAS, SE NÃO QUISER PROGREDIR!
Quais as três formas de gerar desejo?

Oportunidade

Quando falamos de branding, não é simplesmente para "abrir o carrinho" ou "compre aqui". Sempre a compra tem que ser acompanhada como uma grande oportunidade.

É só você pensar quando o Iphone lança um modelo novo. Formam-se filas de espera para comprá-lo. Isso porque existe um desejo muito maior envolvido!

As lojas da Apple estão sempre cheias, com os produtos à mostra para todos mexerem e experimentarem um pouco dos produtos. As pessoas querem tocar nos aparelhos para sentir a emoção, e nem que seja por poucos segundos. Além disso, nunca ficam vendedores para lhe convencerem a comprar o produto, e sim apenas para responder alguma pergunta, quando necessário, e fazer pedidos.

Por isso, a importância de fazer um movimento maior, e não uma simples venda.

Agora que você tem todos esses conhecimentos de branding, transborde em sua vida. Pense em sua marca, crie seu posicionamento e suas estratégias. Os resultados serão consequência. Ah, importante: comece a transbordar na vida de outras pessoas também. Afinal, você veio para a Terra para fazer a diferença!

AGORA É COM VOCÊ!
NÃO FAÇA ESSAS TAREFAS, SE NÃO QUISER PROGREDIR!
Entre em contato comigo pelo meu Direct @jrdasneves e me conta qual foi a transformação que este conteúdo trouxe para a sua vida!

Capítulo 11

Branding para Lançamento

Chegou a hora tão esperada: o lançamento! Mas saiba que antes mesmo de abrir o carrinho para venda, algumas estratégias são fundamentais para ter o sucesso esperado!

É necessário elaborar um movimento e fazer "barulho" para ter audiência expressiva para abraçá-lo.

Quer saber o passo a passo de como eu faço os meus lançamentos? E olha que eles são poderosos... Vamos lá!

Branding no lançamento

Como aplicar uma estratégia de branding em um lançamento? Esse método abrange desde a oferta de um produto digital até um convite para um evento presencial. Ou seja, toda vez que for apresentar uma novidade no mercado como um todo, poderá usar essas estratégias de branding.

Especialmente para você, vou revelar as estratégias que uso em meus lançamentos. Veja, eu nunca tive um lançamento que deu errado, todos os meus lançamentos envolvem investimentos altos.

O grande elemento dessa estratégia é o movimento, isto é, fazer com que as pessoas venham atrás da gente, e não irmos atrás delas. No dia da abertura do carrinho, a audiência não vai enxergar aquilo como a venda de um produto, e sim como uma grande oportunidade! É gerado um desejo para o cliente escalar e consumir o produto pago (o verdadeiro funil invertido, como vimos no capítulo anterior).

AGORA É COM VOCÊ!
NÃO FAÇA ESSAS TAREFAS, SE NÃO QUISER PROGREDIR!
Qual o elemento principal dessa estratégia?

As perguntas corretas

Existem algumas perguntas que devem ser feitas à frente de qualquer lançamento. Se você for um expert ou se for direcionar um, fique atento a essas análises. Não é necessário perguntar diretamente; em uma conversa, você já vai conseguir observar e identificar questões importantes.

Primeiro Bloco de Perguntas
A dor que será curada

1- Qual é a dor (problema/necessidade) que esse lançamento vai curar?

Além de identificar esses problemas, é necessário avaliar se há demanda para isso. Sempre gosto de lançar produtos com audiência grande, e não em nichos muito específicos.

2- Essa dor pode virar uma causa?

Exemplo: em um lançamento de um curso sobre como falar em frente às câmeras ou como fazer stories mais atrativos, já que muitas pessoas têm um certo bloqueio de se expressar, uma causa que poderia ser levantada é que muitas famílias precisam da sua mensagem ou do seu conhecimento para mudarem de vida e, portanto, você precisa vencer o medo das câmeras. Isso pode ajudar muitas pessoas. Isso será uma boa causa para abraçar. Além de resolver uma dor, é possível criar um movimento diante desse cenário.

3- Combina com o expert?

Não adianta o expert querer curar uma dor, mas ele não possuir um perfil compatível para isso.

Exemplo: em um lançamento de empreendedorismo, se for falar sobre o conceito de estar próximo à família tendo o próprio negócio, o expert precisa estar rodeado de seus familiares em seu dia a dia. Somente assim, conseguirá traduzir esta verdade para sanar a dor de alguém.

Segundo Bloco de Perguntas
Antídoto para curar a dor

1- O expert dá realmente conta de curar?

Atenção: não é porque o expert tem conhecimento, que ele consegue levar as pessoas dos pontos A ao B. Há experts que possuem muito menos conhecimento, mas que conseguem levar as pessoas com mais facilidade a curar a dor e fazer a transformação.

Não é sobre a capacidade de ensinar, mas sim sobre possuir a energia de transformar as pessoas. Apenas saber ensinar não é o suficiente. Para tanto, preciso criar estratégias para as pessoas se movimentarem. Necessito até lhe irritar para ver se você se locomove para fazer a transformação.

Se o expert for muito certinho e perfeccionista, dificilmente, ele vai querer fazer essa transformação.

2- O expert tem algum diferencial?

Pessoas diferentes tendem a ter mais engajamento. Com uma energia diferente, elas conseguem mais pessoas em sua audiência.

3- Tem algum método autoral?

Existe alguma coisa que o expert inventou e é de autoria própria? Algo bem inovador e que as pessoas conheçam? Se não tem, é muito bom criar. E precisa ser validado (provas que mostram que o método realmente funciona).

Terceiro Bloco de Perguntas
Pense no expert

1- Esse expert tem audiência?

É muito importante que ele já tenha audiência. Se ele não tiver, a construção de um lançamento é muito maior. Primeiramente, terá que construir a audiência, depois verificar o engajamento. Se ele já tem tudo isso, é muito mais fácil. Sempre priorize esse estilo de pessoa.

2- O expert tem engajamento?

De nada adianta ter muitos seguidores, mas não ter nenhum engajamento. É preciso se relacionar com os seguidores e potenciais clientes com constância.

3- O expert tem energia?

Não é possível ter um lançamento de um expert com energia baixa, meio desanimador. Tem que ser um expert com energia alta.

Uma pessoa que tenha um fogo dentro dela, querendo curar a dor e transformar a vida de quem passar por ela.

4- Queima no coração?

Queima realmente no coração do expert curar essa dor? Se for um expert que só pensa em dinheiro, a probabilidade desse lançamento funcionar é muito baixa. Pode até conquistar um retorno financeiro com isso, mas não será algo "assustador".

5- Qual é o nível de agressividade dele?

Agressividade no sentido de topar tudo que deve ser feito em um lançamento. É necessário saber o nível de "agressividade" desse expert para você solicitar tudo que deve ser feito. Quanto mais energia você tiver que gastar para convencer o expert a fazer todas as estratégias de venda, mais tempo será despendido e o processo mais demorado. Muitos experts podem achar que, em algumas estratégias, ele fará papel de ridículo. No entanto, quando você argumenta que fará um papel de ridículo, mas que salvará muitas vidas, ele começa a aceitar mais alguns passos da estratégia de lançamento.

AGORA É COM VOCÊ!
NÃO FAÇA ESSAS TAREFAS, SE NÃO QUISER PROGREDIR!
Quais são as perguntas que devo fazer antes do lançamento?

6- Esse expert tem tempo disponível?

Além da realização do produto em si, o expert precisa ter comprometimento para cumprir todas as ações e estratégias de lançamento (exemplo: 10 a 15 dias de lives). Isso é fundamental!

Pré-Lançamento

Com todas as perguntas acima respondidas, passamos para a criação da estratégia do pré-lançamento. É necessário criar um movimento, um "barulho" para atrair a maior audiência possível.

Sendo assim, o objetivo é criar os contextos de participação e fazer com que as pessoas enxerguem aquilo que queremos que ela enxergue. Conforme foi abordado nos capítulos anteriores, se eu criar assuntos, contextos ou eventos apenas apresentando a dor óbvia, meu alcance não será muito grandioso. É necessário atrair com abordagens das verdadeiras dores.

Depois que você definiu quais serão essas abordagens, será necessário fazer a organização do barulho – é aparecer constantemente, fazer muitas lives – sozinho ou compartilhadas –, promover ações... Aparecer muito mais do que o normal, fazer muitos stories, posts no feed...

O passo seguinte é criar contextos que façam muitas pessoas a terem consciência que possuem aquela dor, mesmo aquelas que nem imaginavam ter. Todos juntos precisam observar que estão sofrendo da mesma coisa.

Nesse momento, vem o passo crucial: o expert apresenta-se como o líder e resolve essa dor, luta em prol dessa causa. O expert diz: "Eu vou pegar na sua mão e vou te ajudar a curar esse problema, a realizar o seu sonho".

O pré-lançamento é muito importante. É a base, o empilhamento de audiência e de energia. É como se fosse uma mágica! Você passa por uma praça e, de repente, depare-se com um mágico.

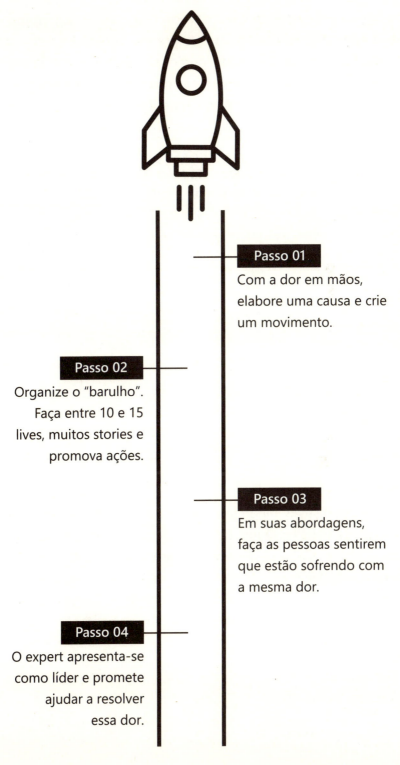

Aí, desperta o seu interesse e você fica parado assistindo. E esse mágico faz tantas coisas que prende você a ele. Até você perceber sentimentos que até então não estavam tão latentes. Por consequência, tudo que esse mágico pede para você fazer é feito como uma oportunidade de experiência e vida.

AGORA É COM VOCÊ!
NÃO FAÇA ESSAS TAREFAS, SE NÃO QUISER PROGREDIR!
Qual a importância do pré-lançamento?

Lançamento

Essa é a parte mais importante, aquela que você dá tudo de si. É um momento de trabalho árduo, que pode acontecer entre 10 e 15 dias. Sendo assim, se é para gastar energia, gaste corretamente e com toda a sua força. Geralmente, faço estratégias de 10 dias ou mais de lives. É o tempo necessário que consigo gerar um movimento muito forte. Crie uma retenção gigantesca com as pessoas que estão assistindo.

Primeiro Bloco:
Dar tudo de si

1º passo:
Energia ao máximo!

Nada de muita técnica, nada de politicamente correto. Para reter atenção, você precisa de energia ao máximo. Você tem que acelerar o coração das pessoas.

2º passo:
Missão dada é missão cumprida!

Cada membro da sua equipe precisa se dedicar ao máximo, naquele momento, com todo o gás para dar certo! "Preciso que faça um vídeo criativo agora!" – é necessário fazer com prontidão. Nada de postergar. Podem aparecer muitas demandas durante um lançamento e a equipe precisa estar bem alinhada para suprir a missão naquele momento, de forma imediata.

3º passo:
Se precisar mudar, muda tudo!

Sim, eu já cansei de estar no meio do lançamento e ter que mudar toda a estratégia, promessa... Virar a mesa completamente. Pegar tudo o que foi feito e jogar no lixo para começar do zero no meio do lançamento. E se tiver que mudar tudo, a equipe tem que estar toda alinhada para esta mudança. Nada de desânimo! Tem que mudar? Faça sem receios! Se avaliar o feedback da audiência conquistada e sentir que a abordagem para atingir as verdadeiras dores devem ser outras, troque a direção.

4º passo:
Experimente o jantar a todos os momentos

Mesmo que você já tenha feito um lançamento por diversas vezes, sempre é preciso criar um "prato novo". Sim, o lançamento é como um prato de comida. Você nunca sabe ao certo a quantidade exata de cada ingrediente. Em cada etapa, você deve ir adicionando uma ação ao preparo e sentindo o sabor. É a mesma coisa do lançamento. Se for necessário, jogue todo o conteúdo da panela fora e comece a cozinhar de novo!

Não adianta servir o jantar (que é a abertura do carrinho) e as pessoas não gostarem do sabor. "Puxa, está caro!" ou "Nossa, deixa para o ano que vem. Essa oferta não está muito atrativa e nem irresistível". Por isso, é necessário experimentar sempre. Como fazer isso? Esteja muito ligado nos Directs e nos comentários que for recebendo, faça interações de acordo com a dor que deseja curar. E as pessoas devem estar desejando curar esta dor e você precisa sentir isso.

Se está tenda essa interação no pré-lançamento, significa que as pessoas estão engajando, se envolvendo na causa e estão em movimento com você.

5º passo:
Dê atenção máxima ao público

É necessário responder a todos os Directs e comentários. Se for necessário mandar uma mensagem pessoal, faça isso. É preciso ser atencioso com a sua audiência.

Segundo Bloco:
Abordagens

1º passo:
Quebra de objeção e gatilhos mentais

Quando você for fazer uma maratona de lives, saiba que não será o momento de entregar conteúdo. Se eu entregasse todo o conteúdo deste livro em uma maratona de lives, as pessoas não estariam nem aí para o que eu estaria falando. "Como assim???" – você deve estar se perguntando. Exatamente isso que aconteceria. Mesmo que eu entregasse todo o conteúdo de valor, a parte do cérebro primitivo olha e diz: "Isso não presta!". A pessoa não está envolvida na causa e no movimento, ela não vai interagir com o conteúdo, pois não é o momento. Na maratona de lives, por exemplo, o ideal é você entregar conteúdos que servem para ela naquele momento. Por isso, durante o lançamento, o conteúdo deve estar disfarçado de quebra de objeção e gatilhos mentais.

2º passo:
Mentalidade

Quando você for iniciar uma maratona, fale sobre mentalidade. O poder do mindset. Se você já sabe que as pessoas sofrem de vitimismo, de "mimimi" e consideram que nada serve para elas, inicie quebrando essas objeções da vida das pessoas. Resolvendo esse impasse da mentalidade, quando abrir o carrinho, o "outro eu" (consciência do cliente) irá reagir de forma diferente na mente das pessoas e consolidar a compra. Ele vai pensar: "Eu também sou capaz de aprender".

3º passo:
Passo a passo

O passo a passo é o segredo de uma live incrível. Sendo assim, em toda a live que for fazer, intitule-a como "5 passos para conseguir o sucesso" ou "3 fatores para prosperar". A audiência com o passo a passo tem o sentimento de aprendizado. Na verdade, apesar do conteúdo, você está trabalhando ainda mais objeções e os gatilhos mentais.

Terceiro Bloco:
Instigue a audiência

1º passo:
Desperte o desejo

É necessário criar o desejo das pessoas que elas precisam começar a pedir o treinamento, o curso. Se no meio do pré-lançamento, elas não estiverem pedindo isso, quer dizer que não será um "jantar atrativo". Melhor rever as estratégias.

2º passo:
Resultados micros

Você pede para a audiência fazer tarefas para que elas consigam notar uma diferença na vida delas. Ela sente que já começou a conquistar a solução da dor dela. Sendo assim, o desejo de ir além será latente.

3º passo:
Provocação ao máximo

As pessoas só se movem quando elas são provocadas. Quanto mais você provocar, mais instigar, mais elas irão se movimentar para o lugar que você quer que elas se movimentem. Crie desafios para estimulá-las!

AGORA É COM VOCÊ!
NÃO FAÇA ESSAS TAREFAS, SE NÃO QUISER PROGREDIR!
O que faz as pessoas pedirem o seu produto?

Pós-Lançamento

O lançamento não termina quando você abre o carrinho. O lançamento começa quando você abre o carrinho. Quando o conteúdo é verdadeiro, as pessoas que compraram o produto são transformadas. E como elas se socializam com outras pessoas que têm a mesma dor, elas acabam contando sobre a novidade que trouxe uma transformação para a vida delas. Com isso, você acaba gerando um funil autossustentável. As pessoas começam a entrar no seu funil e, então, a girar a roda com mais velocidade do movimento propagado. Todos em busca da oportunidade de verem suas vidas transformadas.

1º passo:
Foco total na transformação

Faça o overdelivery (entregue mais que o esperado): ligue para pessoas, faça um evento ou mentorias. Se possível, tenha uma equipe que irá acompanhar esse processo. Responda a todas às perguntas que surgirem. Além disso, as aulas precisam ser atrativas! Não podem ser muito longas, devem ser gostosas de ouvir, serem práticas.

2º passo:
Escute os feedbacks

Se tiver uma reclamação, nunca alimente-a. As pessoas não podem reclamar, e sim podem questionar. E todos os questionamentos devem ser respondidos. O tempo inteiro você tem que dominar a situação.

3º passo:
Criar cultura

Culturas importantes a serem criadas são: cultura da não-reclamação e a cultura de pedir ajuda se estiver com dificuldade e/ou desanimados (se tiver uma comunidade, sempre reforce esse conceito, dizendo que está disponível para sempre ajudar).

4º passo:
Prova social

Incentive as pessoas a postarem provas sociais e sempre marcarem o seu perfil. Prova social para o próximo lançamento será um combustível vital.

AGORA É COM VOCÊ!
NÃO FAÇA ESSAS TAREFAS, SE NÃO QUISER PROGREDIR!
Mande uma mensagem no meu direct @jrdasneves
e me conta o que foi esse módulo para você.

Capítulo 12

Branding para Social Media

Não pense que o Social Media é aquele que faz posts operacionais em uma rede social. Não! Esse profissional vai muito mais além: é responsável por todo o gerenciamento das redes. Ele lidera as melhores estratégias para a marca se relacionar com os seguidores.

Com esse relacionamento eficaz, a venda de qualquer produto ou serviço será uma simples consequência!

Quer saber como o branding pode ajudar ainda mais o Social Media? E que tal dicas para o seu negócio escalar ainda mais? Vem comigo agora!

Branding para Social Media

Depois de termos abordado o Branding para Lançamento, vamos conversar sobre Branding para Social Media. Isso porque essas são duas formas de você iniciar seus negócios na Internet. Na verdade, sempre indico começar a ganhar dinheiro no digital sendo Social Media. É muito comum hoje ganhar de R$ 5 a R$ 10 mil reais desenvolvendo essa profissão, que nada mais é que o gerenciamento de redes sociais das marcas (empresas e influenciadores, por exemplo).

As redes sociais são meios de se relacionar na Internet, a exemplo de Twitter, Facebook, Instagram, TikTok, LinkedIn... O Social Media pode atuar em todas essas redes e até em outras plataformas online que também promovam o relacionamento. Esse profissional não é simplesmente a pessoa que fará posts e stories, vai muito além: é responsável por estratégias e relacionamentos com o cliente/seguidor. Obviamente, você pode fazer artes e edições de vídeos. Contudo, cuidado para você não perder tempo em atividades que poderiam ser terceirizadas e, com isso, focar nas ações de um verdadeiro Social Media.

AGORA É COM VOCÊ!
NÃO FAÇA ESSAS TAREFAS, SE NÃO QUISER PROGREDIR!
Qual é a forma mais fácil de iniciar e ter bons resultados na Internet?

Como conquistar clientes através de Branding

Existem diversas estratégias dentro do conceito de Branding para conquistar clientes. Anote as três principais:

• Geração de conteúdo

Muitas pessoas pensam que, para gerar conteúdo, precisam abrir uma empresa. Lembre-se: por mais que você tenha uma empresa, pessoas se relacionam com pessoas. Sendo assim, o ideal é gerar conteúdo dentro do seu perfil pessoal.

Deixe-o organizado, atrativo e repleto de boas dicas dentro do seu nicho de atuação para atrair pessoas.

No momento que o cliente pensar em contratar seus serviços, irá analisar o seu perfil certamente. E se este estiver atrativo, a probabilidade de fechar um contrato com você será bem maior. O seu Instagram, por exemplo, pode ser uma vitrine para o seu cliente.

Acredite, quando você começa a gerar conteúdo, os seus resultados tendem a ser muito maiores.

• Networking

As conexões – sejam elas presenciais ou digitais – são muito importantes. Para tanto, você precisa ter o seu branding consolidado, mostrar ao mundo o que sabe fazer. Esses relacionamentos podem lhe gerar uma cartela de clientes! É preciso, portanto, se posicionar nas redes sociais, apresentar algo interessante e mencionar o que tem para oferecer.

• Geração de valor

Gere valor para outras pessoas gratuitamente. Calma! Nada é de graça, tudo é estratégia. Está interessado em um cliente? Gere algum serviço a ele que possa ser útil, como se fosse uma "amostra" do que pode oferecer. Gerando um valor de qualidade e atrativo, não tem como o outro lado não se aproximar.

Não espere a permissão da pessoa para gerar esse valor. Surpreenda-a! Particularmente, quando recebo mensagens no meu Direct sobre "Junior, no que eu posso te ajudar?" ou "Como posso gerar valor para você?". Na verdade, nem respondo. Só o fato de eu ter que pensar sobre o que ele poderia ajudar, já desisto. Se quiser gerar valor, descubra, faça e apresente!

Gere realmente valor, estude o que a pessoa que deseja fazer conexão realmente necessita.

AGORA É COM VOCÊ!
NÃO FAÇA ESSAS TAREFAS, SE NÃO QUISER PROGREDIR!
Quais dessas estratégias apresentadas você já utilizava em seu negócio?
E se não utilizava, como visa colocar em prática?

Branding para o seu cliente

Com as estratégias de branding, você consegue atrair audiência para o seu cliente. Como Social Media, o que cabe a você é gerar relacionamento. Se irá vender, essa é uma responsabilidade da empresa dele.

1. Relacionamento

Como já foi falado, nas redes sociais, pessoas conversam com pessoas, e não com "logos", "empresas"... Em algumas empresas, são criados personagens para se comunicar como se fosse uma pessoa. Essa personagem tem diversas características e conceitos que definem o estilo da empresa em questão.

Sendo assim, se algum dono de empresa não gosta de aparecer, por exemplo, é criado uma personalidade para aquela empresa se comunicar. Comece a prestar atenção nas propagandas de grandes empresas. O Magazine Luíza tem uma personalidade própria. Já o Bradesco tem a "Bia" à disposição para falar com você.

Instigue os seguidores do seu cliente a conversarem e serem amigos da marca. Foque no relacionamento, a compra será uma consequência.

2. Funil de branding

Faça muitos conteúdos virais e de coparticipação. Para completar, promova ações que impulsionem o networking nas redes sociais. Busque sempre parcerias que atuam no mesmo nicho, mas que não são concorrentes diretos. Não se esqueça de fazer conteúdos de conversão. Caso não lembre todas essas etapas, volte alguns capítulos e faça a revisão da abordagem.

3. Tríade de branding

Faça o tripé para ter uma marca forte: posicionamento + execução + resultados. Mostre o que é que está fazendo, apresente o que está realizando e prove os resultados. Com esses conceitos, você tem uma marca forte.

4. Faça o feijão com arroz

Caso não dê para elaborar estratégias mirabolantes, opte por fazer o básico bem-feito. Deixe de lado a arte que não dá resultado, a forma robótica de falar e aposte no "feijão com arroz" sobre tudo que já mencionamos neste livro.

Pare de pensar em uma "nave espacial" para o seu cliente e tenha, pelo menos, uma caixa de perguntas em seus stories. Relacione-se!

> **AGORA É COM VOCÊ!**
> *NÃO FAÇA ESSAS TAREFAS, SE NÃO QUISER PROGREDIR!*
> **O que fazer quando o dono da marca não quer aparecer no negócio?**

O que não fazer

O Social Media não é a pessoa que faz a postagem simplesmente, aquele que auxilia a fazer o post ou o que faz a legendinha. O profissional de Social Media é uma das pessoas mais importantes no processo, é ele que é responsável pelo relacionamento entre cliente e empresa. Sendo assim, atente-se em quatro ações que você não pode fazer:

1- Tarefas que não são de Social Media

Se você já é um profissional de Social Media, não gaste horas fazendo uma arte de post. Fique focado em estratégias para atrair mais relacionamento. Pare de fazer coisas operacionais, essa não é a sua função!

2- Deixar de comandar aquilo que é da sua conta

Muitas vezes, outras pessoas ou até o próprio cliente querem comandar as estratégias de relacionamento. Tenha firmeza e imponha-se, sempre com respeito, em sua função e estratégia.

Um Social Media não é contratado para cumprir ordens, ele é contratado para apresentar resultados.

3- Presença de comando

Alguns clientes vão querer que você trabalhe 24 horas por dia ou então você nem vai conseguir cliente. Tudo isso porque está faltando presença de comando. Não tenha medo de falar com um possível cliente, assim como você não deve ter receio de definir um horário de trabalho.

4- Não seja um funcionário

Não é para ser funcionário do seu próprio negócio e nem do seu cliente. Seja o dono do seu tempo, do lugar que você trabalha e da sua situação financeira. Tenha essas três liberdades sempre com você!

AGORA É COM VOCÊ!   ***NÃO FAÇA ESSAS TAREFAS, SE NÃO QUISER PROGREDIR!***   **Não faça tarefas que não são de um Social Media!**   **Escreva aqui as principais funções desse profissional.**

Como escalar o seu negócio

A vida é feita de fases. No seu negócio não é diferente. Como Social Media, você pode iniciar como um freela, ser também contratado de alguma empresa ou também começar a ter os seus primeiros clientes.

E para escalar o seu negócio, você vai precisar:

1- Comprar horas

Você compra horas por R$ 50, por exemplo, e vende-as por R$ 300. O repasse de atividades com a sua supervisão é essencial para poder escalar o seu negócio.

2- Mentorias

Você pode entregar mentorias para o seu cliente, como também para outros Social Medias. "Mas aí eu vou criar os meus próprios concorrentes?" – você pode estar se perguntando. Saiba que existem tantas, mas tantas empresas, que, por mais que quisesse, não iria conseguir abraçar todas. No Brasil e no mundo, cada vez mais, vai aumentar a procura por Social Medias qualificados.

Lembre-se: para ter autoridade para dar mentoria, você precisa gerar os seus próprios resultados.

3- Lançamentos

Quando tiver atuado como um Social Media eficaz, aposte também em lançamentos. Isso porque você já terá 80% para consolidar boas estratégias de branding. Se você souber fazer o expert bombar nas lives, nos stories e em qualquer ação de relacionamento, a venda será uma consequência mais que certa!

4- Agência

Você pode abrir sua própria agência e esta pode ser 100% digital. Os seus parceiros podem trabalhar nas casas deles, sem gerar custos extras para você. Esse modelo de negócio funciona perfeitamente.

Como você pode notar, é um mercado que pode ser muito explorado!

AGORA É COM VOCÊ!
NÃO FAÇA ESSAS TAREFAS, SE NÃO QUISER PROGREDIR!
Liste quatro formas de escalar o seu negócio.
Quais dessas você pensa em usar? Faça seu plano aqui.

Capítulo 13

Seja a mensagem que deseja passar

A grande maioria das pessoas sonha com uma vida muito melhor, porém poucas colocam em prática suas metas. Algumas até colocam, mas desistem com a chegada dos primeiros desafios.

É preciso que o seu propósito arda em seu coração! Tudo pode acontecer, mas você irá se manter verdadeiro até chegar no topo idealizado.

Será que você já está preparado? Faça o teste e descubra!

Existem três formas de querer:

• Primeiro nível de querer

No primeiro caso, acontece com quase 100% da população! Todo mundo quer ficar rico, todo mundo deseja conquistar o corpo maravilhoso, todo querem ter os melhores amigos ou morar na casa tão sonhada... Contudo, é um querer onde não há comprometimento com nada. Você apenas quer.

• Segundo nível de querer

Você quer, mas se compromete em fazer. Você coloca uma data em seus objetivos e, então, procura meios para alcançá-los. Contudo, vários desafios aparecerão nesta trajetória, e é possível desanimar. Se precisar estudar, enfrentar obstáculos nunca vistos antes... você vai desanimar.

• Terceiro nível de querer

Este é o nível que realmente dá certo. Você quer, se compromete e enfrenta qualquer obstáculo que possa aparecer para conquistar o desafio. Você está disposto a dar a sua vida para aquele negócio dar certo. Quando você entra dentro de você, nesta frequência, não há como não dar errado.

AGORA É COM VOCÊ!
NÃO FAÇA ESSAS TAREFAS, SE NÃO QUISER PROGREDIR!
**Escreva abaixo como está o seu nível de querer hoje?
Quais os desafios que você tem receio?
Descreva aqui como poderá superá-los.**

Junior Neves

Você precisa ser um trem-bala

O trem tem suas várias fases e quero te ajudar a identificar em qual fase você está. O objetivo de um trem é sair de uma estação e chegar em outra. Alguns estão parados e nunca saem do lugar, pois estão esperando ter a lotação.

Existe outra fase, onde o trem simplesmente para por algum motivo – bloqueio, trilho quebrado –, e ele para no caminho. Existe também o trem que só sai do lugar quando ele é colocado no trilho determinado para ele.

Há também o trem que anda muito devagar, pois tem medo de colocar vapor e energia, tudo por causa do medo. Ele demora demais para chegar no lugar.

O propósito de um trem é levar pessoas de um ponto A ao ponto B ou levar mantimentos, de qualquer forma o propósito é sempre para o outro.

AGORA É COM VOCÊ!
NÃO FAÇA ESSAS TAREFAS, SE NÃO QUISER PROGREDIR!
Escreva abaixo como está o seu trem hoje?
Está parado na estação, andando devagar com medo do que pode vir ou a todo vapor como um trem-bala?

Sobre o que você quer ser lembrado?

Se a sua família pudesse lhe resumir em 30 segundos, o que eles falariam sobre você hoje? Geralmente, as pessoas qualificam primeiramente e depois trabalham com a conjunção adversativa "mas". Tudo o que vem antes do "mas" deve ser banido. É preciso trabalhar os pontos fracos que são apresentados após o "mas" e fazer ações para mudar essa mensagem.

Sendo assim, faça o exercício do que quer que as pessoas falem sobre você daqui a seis meses e quais mensagens irá construir para que elas falem exatamente isso.

Aqui abaixo vou deixar a minha mensagem. Na sequência, você deverá escrever a sua!

"Eu sou Junior Neves. Eu e minha família – que se traduz em mim e na minha esposa, a Keila Neves – temos em nosso coração transformar a vida de outras pessoas. Famílias que empreendem e sonham em ter a vida que sempre sonharam – viajando, conhecendo pessoas novas, trabalhando com o que elas se realizam... Então, eu me dedico o tempo inteiro para as pessoas que estão a meu redor exatamente aquilo que eu vivo todos os dias. E fazer com que elas sintam o que eu sinto todos os dias. "

Como seria a sua mensagem hoje? Escreva aqui:

AGORA É COM VOCÊ!
NÃO FAÇA ESSAS TAREFAS, SE NÃO QUISER PROGREDIR!
Quais são os "mas" que as pessoas ainda falam sobre você e o que irá fazer para eliminá-los?

Redes sociais

Para ser lembrado, você precisa ser visto. Assim, quanto mais estiver presente nas redes sociais, mais ficará fortalecido. Contudo, sugiro começar em uma rede social, entender sobre essa rede e fazer o seu melhor conteúdo para ela. Feito isso, escale para a próxima e assim por sequência.

Melhor fazer bem-feito em uma rede social do que estar em todas ao mesmo tempo, porém sem qualidade e constância necessárias. E principalmente sem conseguir transmitir a mensagem que necessita para consolidar seu branding.

Desde já, é importante saber que cada rede social tem um perfil. Conheça um pouquinho mais sobre cada uma:

Youtube
É a adolescente mimada

Você marcou a frequência que irá entregar os vídeos. Exemplo: terça-feira às 9 horas da manhã. Se você falhar uma vez, a plataforma já vai parar de entregar como estava entregando. Acredite, o Youtube é uma rede social que gosta de rotina.

Facebook
É o tiozinho da loja de R$ 1,99

Nesta rede social, o que você imaginar pode ser encontrado nela. Tem marketplace, vídeos rápidos, bate-papo... Contudo, apesar de ter tudo, a rede social não é referência para muita coisa.

Instagram
É a esposa

Instagram é a rede social mais difícil de lhe dar. Você pode fazer o melhor dia para a esposa: levar café da manhã na cama para ela, depois para jantar e tudo mais! Se no próximo dia, você acordar "normal" e não fizer muito coisa, pronto! Ela já esquece tudo que você fez ontem e diz: "Você não me ama mais!". Ou seja, você pode fazer um vídeo com conteúdo muito massa, passaram-se 24 horas, ninguém vai assistir mais!

Tik Tok
É o traficante

A "droga" que é boa será espalhada absurdamente! Ele quer saber quem é que tem a droga melhor! A rede avalia o conteúdo e libera para todo mundo ficar "viciado".

O Tik Tok é a rede social mais fácil de explodir atualmente. É a que tem o maior poder de viralização. Isso por conta do algoritmo, é o mais inteligente hoje! Tem tudo para crescer muito, pois irá trazer novidades surpreendentes!

AGORA É COM VOCÊ!
NÃO FAÇA ESSAS TAREFAS, SE NÃO QUISER PROGREDIR!

Em quais redes sociais você já está presente e quais são as estratégias que usa para conquistar audiência em cada uma delas?

Teste e descubra!

Será que você já está fera em tudo o que foi abordado aqui sobre branding? Responda ao teste abaixo e vamos checar! Caso tenha alguma dúvida, retome os capítulos para estudar.

1. O profissional do branding é responsável por fazer três ações:
a) Posicionamento, estratégia e gestão da marca;
b) Criar conteúdo sobre a marca para ser disparado nas redes sociais;
c) Ter resultados para a marca.

2. Existem dois tipos de branding. Quais são eles?
a) Branding pessoal e Branding para negócios;
b) Branding impactante e Branding de repetição;
c) Branding e Branding para marketing.

3. O que é validar uma marca?
a) É registrar a sua marca;
b) É mostrar que a sua marca é de verdade por meio de livros, podcasts, bastidores da sua vida...;
c) É ter uma identidade visual consolidada.

4. Autoralidade é...
a) É uma adaptação do conteúdo já existente com seu estilo próprio;
b) É assinar as estratégias de uma marca;
c) É ter autoridade sobre um determinado assunto.

5. O que é modelagem ou benchmarking?
a) É avaliar o que a concorrência está fazendo e modelar o conteúdo ao seu estilo próprio;
b) É copiar a concorrência;
c) É fazer um conteúdo inovador, que não existe.

6. Storytelling é....
a) Uma conexão de networking;
b) É simplesmente contar uma história;
c) É narrar histórias envolventes e verdadeiras, capazes de prender a atenção de quem está escutando.

7. Quais são os 3 V's do Branding?

a) Veracidade, valor e velocidade.

b) Verdade, valor e vitória;

c) Verdade, valor e vontade.

8. O que é networking?

a) É relacionamento;

b) São parcerias interessadas em engajar com você;

c) São todos os seus conhecidos.

9. Quais são as emoções que vendem?

a) alegria, raiva, medo, tristeza e surpresa;

b) apenas sentimentos otimistas;

c) alegria e surpresa.

10. O que é a Jornada do Herói?

a) São todos os líderes que vencem em seus negócios;

b) É a estrutura de storytelling mais utilizada em mitos, lendas, romances e até discursos de sucesso nas redes sociais;

c) São desafios e conquistas na vida de um empreendedor.

11. Qual é a tríade do branding?

a) Posicionamento, execução e resultado;

b) Desafios, resultados e validação;

c) Marca, gestão e execução.

12. O que é o primeiro nível de consciência do cliente?

a) São os clientes mais próximos da localização do gestor;

b) São aqueles clientes que não sabem da necessidade do produto ou serviço;

c) É aquele cliente que tem a dor e sabe da necessidade da compra do produto ou serviço.

13. O que é o segundo nível de consciência do cliente?

a) É aquele que já comprou o produto ou serviço;

b) É o cliente que sabe que tem a dor, mas não está indo atrás da solução;

c) É o cliente que sabe que tem a dor e já está indo atrás da solução.

14. O que é o terceiro nível de consciência do cliente?

a) É o cliente que sabe que tem a dor, mas não está indo atrás da solução;

b) Esse cliente não sabe que tem a dor e não reconhece, em um primeiro momento, que precisa de você;

c) É o cliente satisfeito com a compra de seu produto ou serviço.

15. O que é filhote da conversão (f.c.)?

a) São os clientes que compraram seu produto e que farão sua melhor ou pior propaganda;

b) São pessoas que precisam de iscas digitais para se tornar clientes;

c) São clientes que percorreram todo o funil, mas não efetivaram a venda.

16. O que é um brainstorming?

a) É uma "tempestade de ideias" para construir um conceito;

b) É o conceito do Branding;

c) São múltiplas experiências para validar uma marca.

17. O que são gatilhos mentais?

a) São frases que ajudam na tomada rápida de decisões;

b) São conteúdos relevantes para a nossa mente;

c) São insights que temos sobre a marca.

18. Prova social é...

a) Quando sua marca já foi fundada no mercado;

b) Depoimentos de clientes que já consumiram o seu produto ou serviço;

c) Quando a marca já tem o branding estruturado.

19. Quais são as três partes do cérebro que precisamos ficar atentos em uma venda?

a) Reptiliano, límbico e néocortex;

b) Primitivo, córtex medular e límbico;

c) Reptiliano, hipotálamo e córtex.

20. O que significam as siglas AIDA no Funil de Marketing?

a) Atenção, Interesse, Desejo e Ação;

b) Atenção, Inteligência, Desejo e Antecipação;

c) Antecipação, Interesse, Dedicação e Ação.

21. O que significam as siglas DIDO no Funil de Branding?

a) Desejo, Interesse, Destino e Oportunidade;

b) Descoberta, Interpretação, Desejo e Oportunidade;

c) Destino, Interesse, Desejo e Oportunidade.

22. Quem é o funcionário fantasma?

a) É aquele que diz sobre você mesmo quando não estiver por perto;

b) São profissionais não fixos que fazem nossa empresa escalar;

c) É aquele que idealizamos para a empresa crescer.

23. O que é ser contraintuitivo?

a) É ir de contra ao óbvio, à intuição;

b) É criar pontos de conexão com a audiência;

c) É superar o que a concorrência está fazendo.

24. Todo movimento necessita ter:

a) Inspiração e audiência;

b) Líder, causa e demanda;

c) Dor e solução.

25. Quando você entende de branding...

a) conversa diretamente com a audiência;

b) conversa de igual para igual;

c) você conversa com o outro eu da pessoa.

26. Não seja um fazedor de coisas, seja...

a) um estrategista de ações;

b) um produtor de resultados;

c) um idealizador.

27. Com estratégias de branding,

a) o cliente implora pelo seu produto;

b) tem um primeiro interesse pelo seu produto;

c) planeja a compra do seu produto no futuro.

28. Quem é o cliente do Facebook e Instagram?

a) aquele que navega pelas redes;

b) aquele que produz conteúdo;

c) aquele que consome conteúdo.

29. Qual é o objetivo do marketing?

a) é esmagar o cliente até a ponta do funil;

b) é criar o desejo pelo produto;

c) consolidar o conceito da oportunidade.

30. O que é dor?

a) a jornada que o cliente deverá percorrer;

b) o desânimo da estratégia;

c) a necessidade do cliente.

31. É correto mudar a estratégia no meio do lançamento?

a) jamais, pois pode perder toda a audiência;

b) sim, se a audiência não estiver respondendo como esperado;

c) talvez, tudo irá depender do ânimo da equipe.

32. O lançamento termina com a abertura do carrinho?

a) sim, pois toda a jornada foi concluída;

b) não, já que é preciso dar apoio para sanar possíveis dúvidas do cliente;

c) sim, pois todas as vagas já foram adquiridas.

33. O que significa fazer o arroz com feijão?

a) é fazer as estratégias de branding básicas, porém bem-feitas;

b) é seguir a receita do que dá certo;

c) é nutrir o cliente com boas expectativas.

34. O que é presença de comando?

a) é ter postura e segurança para liderar;

b) é saber comandar a audiência;

c) é ter presença constante nas redes.

35. O funil do branding é...

a) com a ponta para baixo, como o do marketing;

b) com a ponta pra cima;

c) na verdade é um cilindro.

36. Provocar a audiência é preciso para...

a) se movimentarem;

b) ficarem nervosas;

c) pensarem em desistir.

37. O que significa 3 L's?

a) Liberdade de localização, tempo e financeira;

b) Lançamento, landing page e logística;

c) Três lançamentos.

38. O que é forma orgânica?

a) Método de lançamento natural;

b) Impulsionar posts nas redes sociais;

c) Não impulsionar/pagar os posts;

39. O que é nicho?

a) Definição de um público-alvo;

b) Experiência de mercado;

c) Tipo de lançamento.

40. Qual a frequência que deve-se ter nas redes sociais?

a) Uma vez a cada 15 dias;

b) Conteúdo diário;

c) Pelo menos, três ações.

Respostas:

1. a)	5. a)	9. a)	13. b)	17. a)	21. b)	25. c)	29. a)	33. a)	36. a)
2. b)	6. c)	10. b)	14. b)	18. b)	22. a)	26. b)	30. c)	34. a)	37. a)
3. b)	7. c)	11. a)	15. a)	19. a)	23. a)	27. a)	31. b)	35. b)	39. a)
4. a)	8. b)	12. c)	16. a)	20. a)	24. b)	28. b)	32. b)	35. b)	40. b)

Capítulo 14

Bate-papo com o autor

Junior Neves tem o sonho de ver a família dele dominando a Terra. Ver não somente os filhos, mas os filhos dos filhos. Por isso, ele vive para transbordar na própria vida e na de muitas pessoas. Segundo ele, ainda está nos primeiros passos de tudo que ainda deseja fazer...

Nesta entrevista, Junior conta um pouco mais de sua trajetória, seus desafios e superações. Revela o sentimento que tem por Pablo Marçal e o que faz a equipe 12k ser um fenômeno!

Em Santa Catarina, você era fotógrafo e, apesar de ganhar mais que a média da população brasileira, decidiu mudar seus caminhos para transformar totalmente a sua vida. Nessa transição, o Pablo Marçal foi peça fundamental. Como você o conheceu e quais os conceitos que ele lhe apresentou para "fazer arder" o seu coração?

Na verdade, sempre me senti como "um trem carregado", mas sem destino. Tinha muitas ideias, contudo sentia que as pessoas ao meu redor não entendiam. Quando conheci o Pablo, foi como uma virada de chave. A sua forma simples, mas profunda, de dizer as coisas me fez entender que eu precisava transbordar na vida das outras pessoas. Posso dizer que o transbordo, a forma simplista e a prática dele foram os fatores que me ativaram.

Quando decidiu fazer a transformação em sua vida, você tinha apenas 29 anos de idade. Você saiu de Santa Catarina para São Paulo em um caminhão de mudanças para economizar a passagem. Nesta trajetória, quem foram os seus principais incentivadores? Ou ainda teve que superar o desafio de pessoas próximas lhe falarem que você estava fazendo uma grande loucura?

Essa "mudança" foi um dos momentos mais desafiadores da minha vida. Eu não contei para ninguém que estava indo para São Paulo, nem a minha família, até o momento da viagem. Assim que tudo estava no caminhão, avisei as pessoas mais próximas, porém ninguém acreditou, e ainda me chamavam de louco! O que você diria de alguém que deixou uma empresa estruturada para ir para São Paulo atrás de um objetivo?

A única pessoa que me apoiou desde o início foi a minha esposa, a Keila. O incentivo dela era tudo que precisava. A única coisa que me movia era esse peso no meu coração que dizia: "Vai"! Na época, o Pablo não me conhecia (de ser íntimo), só de vista de um evento que fizemos para ele. Fui para servir, disposto a deixar todo o meu orgulho de lado para me jogar de cabeça naquilo que acreditava que seria a virada de chave na minha vida.

A sua esposa, a Keila Neves, é expert em Social Media. O casal que trabalha em conjunto, lado a lado, só tende a somar também no mundo dos negócios? Quais são as dicas que pode dar nesse sentido? E quais os perigos?

Trabalhar com quem amamos é uma tarefa difícil, porém é a melhor sociedade que você pode querer. O principal desafio é saber dividir o momento de trabalho, o descanso e o momento de lazer. Nós percebemos bem no início que, em busca da "máxima eficiência" e maior entrega, estávamos abrindo mão dos nossos momentos. E não que isso seja ruim, porém um casal precisa cultivar primeiro a sua família e os bons momentos.

Então, aprender a dividir o tempo de trabalho e família é uma dica, porém honestidade e transparência nas finanças são coisas muito básicas, mas que, às vezes, os casais acabam esquecendo também.

Ao longo do seu curso, você sempre pede para as pessoas não fazerem as tarefas, caso queiram progredir. Sair do óbvio e provocar a audiência são estratégias para fazer o público se movimentar?

Uma coisa que aprendi andando junto ao Pablo é ser sempre contraintuitivo. O óbvio é chato e muito monótono. Você sempre tem que deixar as pessoas curiosas e incomodadas com a sua resposta, assim elas se movimentam.

Quando você chegou para trabalhar com o Pablo Marçal, você tinha sua experiência de fotógrafo e empreendedor. Como adquiriu tamanho conhecimento em Branding, sendo, até mesmo, criador de um próprio funil de vendas (D.I.D.O)?

Eu fiz do meu primeiro ano, o pior ano da minha vida. Estive disposto a dar o meu melhor em tudo que fazia para gerar valor e aprender com as pessoas ao meu redor. Porém, em todos os momentos, eu estava estudando e colocando em prática. Quando todos iam para casa, eu também descansava, porém tirava mais tempo para estudar. Posso dizer que eu agarrei todas as oportunidades que passaram na minha frente, estando pronto ou não. Posso dizer que o mais engraçado foi que as oportunidades que eu me sentia menos preparado foram as que mais deram resultado.

Aprendi depois de executar muito que tudo que fazia era o tão famoso branding. Todas as minhas estratégias surgiram da minha forma de pensar que é: "Como dar o máximo de resultado com o mínimo de trabalho possível". Para muitos, isso pode soar como preguiça, mas, na verdade, é uma maneira muito eficiente de trabalho para mim em todos os meu negócios.

A tríade do branding é colocar em prática: posicionamento, execução e resultado. Quais são as dicas de ouro que pode dar para conseguir com sucesso essas três fases?

Coloque tudo em prática e obtenha resultados. Os primeiros resultados não são tão importantes, mas é deles que você vai saber o que ajustar e o que melhorar. As pessoas pecam porque não colocam em prática. Estão na constante busca do plano e situações perfeitas, o que, no mundo real, nunca irá acontecer.

Então, coloque tudo em prática e vá ajustando, conforme a necessidade para que você alcance o seu objetivo.

Atualmente, em diferentes nichos de mercado, existe uma enxurrada de pessoas fazendo lançamentos com estratégias de marketing nas redes sociais. É muito comum receber a oferta: "Participe desta semana 100% online e gratuita". Na sua concepção,

essa fórmula tende a cansar no decorrer dos anos? O que fazer para isso não acontecer?

Quando todos fazem a mesma a mesma coisa e da mesma forma, é óbvio que vai cansar a audiência. O problema está no fato em que as pessoas não querem "pensar", até porque copiar as estratégias que estão "funcionando" é mais fácil.

As coisas no digital mudam muito rápido! Então, se você não aprender a pensar por si só ou a ler o seu avatar, existe uma grande chance de você ficar para trás.

Não existe uma fórmula para isso não acontecer, mas aqueles que se adaptam estão um passo à frente dos outros.

Mesmo fazendo conteúdo de valor, vídeos de impacto e conteúdos de coparticipação, é muito difícil ver um perfil no Instagram crescer sem o investimento em tráfego. Qual é a sua análise sobre isso?

Você tem que olhar como um business! Como fazer um negócio crescer sem investir nele? Então, as pessoas tem uma visão errada sobre o digital, a porta de entrada é gratuita, porém a forma mais rápida de escalar é por meio de investimento.

Isso não quer dizer apenas tráfego, existem algumas outras estratégias! Mas, para deixar claro, em nenhuma delas está a compra de seguidores!

Você considera que é possível fazer um grande lançamento, seguindo todas as suas estratégias de branding, porém de forma orgânica? Isso porque existem excelentes experts que não possuem capital para investir em tráfego. É possível?

O primeiro lançamento que fiz não teve valor algum investido em algo, nem tráfego! Fizemos mais de R$ 300 mil reais, de forma totalmente orgânica. Sendo assim, acredito que sim.

Complementando a pergunta acima, você sempre aborda que o ideal é sempre atingir o terceiro nível de consciência de cliente, ou seja, aquele que não sabe que tem a dor. Mas como chegar até esse tipo de cliente sem fazer investimento em tráfego? Quais as estratégias?

Alcançar o terceiro tipo de cliente, aquele que tem a dor e não sabe, não tem nada a ver com tráfego, e sim com abordagem. Pessoas que geralmente não gostam de ir à praia, por insegurança, têm a dor de não se sentirem bem com elas mesmas.

Quando você entende essas dores que, muitas vezes, nem a pessoa sabe, você consegue usar isso para tudo. Um dono de academia, um coach, um personal, uma artista e até mesmo médicos conseguem usar disso para criar uma abordagem que crie e amplifique essa dor.

Para fazer isso com qualquer nicho, você precisa sempre chegar na verdadeira dor do seu avatar, e não na dor óbvia!

Para ter uma excelente presença digital e fazer um lançamento de sucesso, qual a frequência que se deve ter em stories, lives e conteúdo de valor no feed? Há a "receita do bolo" ideal?

Todos os dias. A única coisa que não precisa ser todos os dias é a live. Como vender alguém que não é visto?

Um expert de sucesso pode estar em apenas uma rede social ou ele deve estar necessariamente em todas as mídias (Facebook, Instagram, Youtube...)?

Em todas! Nunca se deve ser dependente de apenas uma rede social, porque, se algo acontecer com uma rede específica, você "meio" que jogou tudo que conquistou pelo ralo.

Muitas vezes, um expert tem excelência em conhecimento, mas ele não tem o poder da palavra para levar o público dos pontos A ao

B, ou seja, fazer a grande transformação. Há dicas para "acender" esse poder?

Você tem que ensinar o expert a se comunicar. Não conseguir levar o público de um ponto A ao B não está ligando somente em estratégia, mas em comunicação também. O que você tem que fazer é quebrar o método dele em pequenos passos para que isso gere a transformação!

O Social Media é o profissional que cria estratégias de relacionamentos para ter audiência, e não simplesmente a pessoa que faz os posts. Quais são as dicas de ouro que pode conceder para fazer estratégias de relacionamento de sucesso?

Entenda o cliente do seu cliente mais do que o seu próprio cliente. Domine o nicho e conheça o expert. Ter boas estratégias está ligada a isso. E, por último, teste tudo, mesmo que isso pareça idiotice. Isso porque as vezes aquilo que, para você não é tão "bom", para a sua audiência pode ser o melhor conteúdo que você já postou!

Qual foi a experiência mais marcante que viveu ao lado da equipe 12k?

Foi ver nos olhos de toda equipe e entender que todos estávamos querendo a mesma coisa. Transbordar na vida dos outros!

Na sua análise, o que difere a equipe 12k das demais equipes que existem no universo de lançamentos digitais?

Não temos os melhores em todas as profissões, porém não conheço uma equipe melhor do que a nossa. Juntos somos uma família que buscamos evoluir e crescer juntos. Por isso que, na nossa equipe, ninguém cresce sozinho. Todos crescemos juntos!

Como você enxerga o futuro dos lançamentos digitais e como se preparar para ele?

Acredito que é agora que as coisas vão realmente acontecer. Como existe um grande volume de pessoas fazendo lançamento, vamos começar a ver de maneira mais clara a diferença entre o joio e o trigo.

Quais os sonhos que ainda desejar conquistar?

Ver a minha família dominando a Terra. E ver os filhos dos meus filhos dominando nessa terra!

A equipe 12k sempre instiga a necessidade de fazer a diferença na Terra e transbordar na própria vida e na vida de outras pessoas. Você acha que já cumpriu essa missão?

Eu não estou nem começando e isso não é nem a sombra do que está por vir. Fizemos apenas um burburinho na Internet e olha a revolução que já aconteceu.

Como define o Pablo Marçal hoje?

Um grande irmão, às vezes um conselheiro parecido com um pai e amigo que eu posso confiar.

**CONFIRA NOSSOS
LANÇAMENTOS AQUI!**

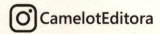